José Carlos Somoza
Dafne desvanecida

José Carlos
Somoza

Dafne desvanecida

Finalista Premio Nadal 2000

Ediciones Destino
Colección
Áncora y Delfín
Volumen 891

© José Carlos Somoza, 2000
© Ediciones Destino, S. A., 2000
Provença, 260. 08008 Barcelona
www.edestino.es
Primera edición: febrero 2000
ISBN: 84-233-3197-0
Depósito legal: B. 4.495-2000
Impreso por Romanyà Valls, S. A.
Verdaguer, 1. Capellades (Barcelona)

Entendí de repente el mito de Apolo y Dafne: dichoso aquel, pensé, que puede estrechar en un solo abrazo el laurel y el objeto mismo de su amor.

A. GIDE

I
EL CAOS

Me he enamorado de una mujer desconocida.

Todo empezó con esa frase. Era el inicio de un párrafo. Yo lo había escrito pero no lo recordaba, porque había perdido la memoria tras el accidente. De hecho, lo único que sé sobre este último es lo que otros escribieron en la prensa. Sucedió en la medianoche del martes 13 de abril de 1999. Mi Opel quedó destrozado al chocar contra un pilar de hormigón en la autopista M30 de Madrid, pero yo no sufrí ni un rasguño. Me trasladaron a una clínica privada, me hicieron pruebas, y a partir de ese punto comencé a existir. Al principio, todo era una masa amorfa y caótica de límites imprecisos. Después abrí los ojos y vi un huevo. Era el rostro de una enfermera. Rectifico: médico. Se llamaba Dolores. Lo sé porque lo tengo apuntado en mi libreta. En torno a Dolores había una habitación, que fue lo segundo que vi. Y como en la habitación había una ventana, lo tercero que vi fue el mundo. Ninguna de las tres cosas me pareció que valiera la pena. No obstante, estaba vivo e ileso. Sólo mi memoria había sido amputada. Un día, Huevo Duro (así apodé a Dolores en secreto) depositó un libro en mis manos. «Lea la solapa», dijo. Bajo la foto de un hombre feísimo, de pelo castaño claro, gafas redondas y barba breve y complicada, destacaba un pequeño párrafo. Decía que Juan Cabo había nacido en Madrid el 13 de abril de 1964 y se había trasladado a Sudamérica con su familia. Después había regresado a Madrid, y, tras doctorarse en Filología Clásica por la Autónoma y enseñar durante un tiempo latín y griego en un instituto, había comenzado a escribir. Tenía publicadas, hasta la fecha, tres novelas: *No soy yo quien me mira desde el espejo* (1989, accésit del premio Bartleby El Escribiente), *Tenue encuentro* (1991, finalista del mismo premio) y *El hombre de los sábados* (1995, premio Bartleby El Escribiente). Su éxito le había permitido dedicarse por completo a la literatura. Fin del párrafo. Comprobé que el barbudo de la foto y yo éramos la misma persona.

Yo era Juan Cabo. Lo supe al leerlo.

—Por cierto, me gustaría que me la dedicara, si no le importa. —Sonrió Huevo Duro—. Es una novela inolvidable.

—Qué más quisiera yo —repliqué, y ambos reímos.

Se trataba de la quinta edición de *El hombre de los sábados*, publicada por Salmacis. Con una letra que debía de ser la mía, escribí: «Dedico este libro a Dolores», y firmé con una rúbrica que debía de ser la mía. Puse «libro» en lugar de «obra» o «novela» porque (teniendo en cuenta mi actual estado de conocimiento) me parecía más lógico ofrecer el recipiente que el contenido. *El hombre de los sábados* consistía, ante todo, en un libro con mi foto en la solapa. El resto eran sombras. «No se preocupe –dijo Dolores–. Irá recordando conforme pase el tiempo.» Me recomendó un ejercicio muy simple: anotar los acontecimientos y las personas que me llamaran la atención en los próximos días. De esta forma, aseguró, evitaría la progresión de la amnesia. Todos los estudiantes lo saben: no es lo mismo memorizar con un simple esfuerzo mental que con ayuda de la escritura. Lo escrito, escrito queda. Y me entregó una libreta de pastas negras. Observé que sus páginas se hallaban preparadas para tal actividad, porque estaban divididas en dos columnas con sendos epígrafes: a la izquierda «Sucesos», a la derecha «Personas». Me pidió que anotara algo bajo la primera columna. Lo pensé un instante y puse:

1. Casi me mato con el coche el día de mi cumpleaños.

Muy bien, eso era un «suceso», desde luego. ¿Y en «Personas»? Yo había empezado a anotar:

1. Huev

Pero lo taché de inmediato.

1. ~~Huev~~ Dolores: la primera persona que recuerdo.

A Dolores le gustó que la citara. Sus ovoides mejillas blancas enrojecieron. «Pero añada dos o tres palabritas descriptivas junto al nombre de cada persona. Así las retendrá con más facilidad.» Yo intentaba no emplear las dos únicas «palabritas descriptivas» que su aspecto me sugería. Juro que no quería insultarla: su rostro, enlucido y elíptico, con el escaso cabello guardado en un moño minúsculo, me hacía pensar realmente en un huevo. Pero sospechaba que Dolores no lo entendería así. Ella leería y se ofendería. Nuestra relación quedaría mutilada para siempre. Tan sólo aquellas dos palabras, arañadas por la tinta en la blancura del papel, y todo un edificio de mutua confianza se vendría abajo. No era lo mismo decirlas que escribirlas, porque lo escrito, escrito queda. Pensé de repente en un mago poderoso que con un simple gesto del bolígrafo encantado pudiera mutar los sentimientos ajenos. Al fin, apurado, añadí: «Bata blanca». «¿Sólo eso?», se echó a reír. «¡Qué cortado es usted!» Cuando se marchó, abrí la libreta, taché «Bata blanca» y escribí «Huevo Duro». Me sentí mucho mejor. Descubrí que algo dentro de mí no quedaba satisfecho hasta que no lograba escribir lo que *de verdad* deseaba.

Y en eso se notaba, sin duda, que era escritor. Pasé una semana ingresado. Me inyectaban cosas, me hacían análisis, introducían mi cabeza en curiosos aparatos. Prohibieron las visitas «para no alterarme», decían. Sobre todo, agitaban papeles a mi alrededor. La clínica era un palomar de papeles revueltos. Mi identidad y mi salud estaban escritas en varios de ellos, y los médicos acostumbraban a interrogarlos antes que a mí. «¿Cómo se siente hoy?», les preguntaba el doctor de turno (aunque fingía dedicarme la pregunta), y mis papeles respondían con mi presión arterial o la narración de una radiografía. Daba igual lo que yo contestara: ellos eran mucho más sinceros o exactos. Las enfermeras los leían y sonreían o torcían el gesto. Los celadores los paseaban de un sitio a otro. Las limpiadoras los respetaban. Cuando se perdían, yo dejaba de existir. ¿Alguien ha visto los papeles de este señor? Tanta angustia me daba, que colaboraba en su búsqueda. A veces, mientras permanecía en la cama, los apoyaban en mi barriga, convirtiéndome así en el escritorio de mis propios papeles. Un día salí del baño y los hallé en el sofá. «Espere, no se siente, que están los papeles», me dijeron. Pensé que dentro de poco a mí me graparían y guardarían en una carpeta, y mis papeles lucirían mi pijama y mis gafas. Se llamaban «historia clínica», lo cual me parecía el nombre más adecuado del mundo, y cada día añadían nuevas hojas a mi «historia clínica» como si se tratara de un calendario a la inversa.

El recinto donde me encontraba se hallaba en las afueras de Madrid, y lo componían dos pequeños edificios: uno de techo picudo, el otro en forma de paralelepípedo. Pude observar que había muy pocos pacientes. Me entretenía caminando por los laberínticos pasillos, vestido con un pijama del color del cielo en otoño y envuelto en mi silencio y en mi barba. La única lectura disponible eran los periódicos, y gracias a ellos hilvané los detalles de mi accidente. Las fotos mostraban un coche obscenamente retorcido y el rostro de un hombre barbudo, mi propio rostro, idéntico al retrato que figuraba en la solapa de mis libros.

Huevo Duro, que debía de ser una doctora muy importante, me visitaba todas las mañanas y me preguntaba cosas. Yo era un novelista de éxito, ¿lo recordaba? No. Vivía con una criada anciana en un chalé de Mirasierra, ¿lo recordaba? No. En cierta ocasión, se presentó con otros papeles. «Lea esto», pidió. Era un resumen de mi vida escrito por ella misma con datos entresacados de aquí y de allá, porque yo no tenía familia ni amigos íntimos a los que poder consultar. Los leí en la cama. Supe que mis padres habían muerto en Perú; que había heredado una pequeña fortuna que me había permitido instalarme en Madrid; que había escrito una tesis sobre las *Metamorfosis* de Ovidio; que no mantenía «relaciones sentimentales» conocidas; que apenas salía de casa; que mi criada se llamaba Ninfa (tenía 68 años, especificaba Huevo Duro, quizá para que no me hiciera ilusiones) y mi editor Eduardo Salmerón. Ahí se acababa todo. Una de dos, pensé: o mi vida había sido una auténtica mierda o Dolores era pésima como escritora. Algunos puntos de la narración hubieran podido resultar divertidos, emocionantes o sublimes, pero mi doctora los había desperdiciado con una prosa insulsa. De hecho, me dormí leyendo mi propia vida: apenas había rebasado mi adolescencia cuando mis ojos comenzaron a cerrarse. Tuve un sueño. Soñé que rompía aquellos folios, me dejaba diluviar por los trocitos y soplaba como el viento, pufffff, escogiendo los pedazos que mi aliento separaba. Así, hasta formar una historia escrita en primera persona por un autor ficticio. Era la historia de mi vida, y estaba dividida en capítulos sembrados de sorpresas para que nadie pudiera aburrirse leyéndolos. Desperté en medio de la noche, y al moverme percibí algo crepitante bajo el trasero. Eran los folios. Había despachurrado mi vida con el culo. Entonces los hice trizas de verdad y los arrojé a la papelera.

El día de mi alta llovía torrencialmente. Fue la mañana del jueves 22 de abril. Anoté, en «Sucesos»:

2. Alta tras 8 días de hospitalización.

Un taxi me aguardaba en la puerta de la clínica para trasladarme a casa. En Recepción me entregaron una carpeta que contenía los papeles de mi «historia clínica», los papeles de mi vida (una copia nuevecita), la libreta de pastas negras y el papel de la factura (el último pero no menos importante, aunque una amable secretaria de lujosa sonrisa me dijo que mi editorial se había encargado de todos los gastos). La despedida no fue especialmente emotiva. Huevo Duro me dio un beso en la mejilla. Algunos empleados agitaron folios blancos. Después, la lluvia lo borró todo. «Menuda tormenta –comentó el taxista–. Parece el fin del mundo.» Y yo pensé: «Para mí, es el principio».

Ninfa, la vieja criada peruana que atendía mi casa, me aguardaba en las escaleras del portal. La habían llamado desde la clínica, anunciándole mi regreso. Al abrazarme murmuró: «Mi niño, mi niño... ¿No me recuerda usted? Soy Ninfa». «Sí, la recuerdo un poco», mentí para no entristecerla. Era una mujer flaca, afectuosa y afectada. Parecía asustada permanentemente por algo. Lo que más me impresionó de su escueta figura fueron sus ojos, inmensos y trémulos, como hechos de miedo coagulado. Anoté este detalle en mi libreta.

2. Ninfa: ojos grandes y asustados.

–Ay, señor, Virgen Santa, si está usted empapado –decía–. ¡Claro, desde el taxi hasta la puerta!...

Me acompañó a mi dormitorio, que estaba en la planta de arriba, y me entregó una bata de seda. Cogería una pulmonía, advirtió, si no me cambiaba enseguida. Su cariño resultaba conmovedor y pegajoso a un tiempo. No se movió de la habitación mientras me desvestía. Tampoco dejó de hablar. Qué preocupada había estado por mí; y qué horror la noche del accidente, cuando llamó la policía; y qué alivio al saber, después, que yo me encontraba bien. Ahora las cosas podrían seguir como antes; ella había cuidado la casa durante mi ausencia, y mi despacho estaba preparado para que empezara a trabajar en cuanto me sintiera con fuerzas. Se lo agradecí. Escribí «materna» al lado de «ojos grandes y asustados» en el resumen de su persona.

Cuando regresé a la planta baja sonó el teléfono. Era Eduardo Salmerón, mi editor. «Ya sé que no me recuerdas –dijo–, pero no te preocupes, lo importante es que te recuperes.» Derrochaba voz a raudales: potente, magnífica, de remoto emperador. A través del torrente olímpico de sus palabras lo imaginé robusto, alto, de pelo blanco. Era todo eso (se describió después) y, además, ciego. «Sí, hijo: invidente», recalcó (me llamaba «hijo»), como dando por sentado que aquella circunstancia tendría que sorprenderme. Incluso en un mundo tan reciente como el mío percibí el impacto de su poder. Se trataba, sin duda, de un hombre muy poderoso. Confirmó que los gastos de la clínica estaban pagados, pero no tenía que agradecérselo: eso era lo que hacía con todos sus «hijos». Sospeché, sin embargo, que no le disgustaba que se lo agradeciera un poco. «Ahora pensarás –añadió–, que los medios de comunicación van a cebarse contigo.» No obstante, él se ocuparía de que nadie me molestara (menos que nadie, los periodistas). Y en cuanto a mi amnesia, no debía inquietarme. «Siempre hay tiempo para recordar: lo importante es afrontar el futuro, hijo». Se despidió anunciándome que el domingo la editorial se uniría a las conmemoraciones del Día del Libro presentando una nueva colección en el Parque Ferial, y que me convenía asistir. Ya me llamaría. Colgó.

Anoté, bajo «Personas»:

3. Salmerón: ciego, poderoso.

La vida. Empezaba a desperezarse con lentitud de anaconda. Una vez transcurrida la catástrofe (y la lluvia), quedaba la vida, densa, flotante, embarrada. Cuando terminé de hablar con mi editor decidí recorrerla. Mi vida era mi casa: de dos plantas, cuatro dormitorios y un jardín con piscina. Según me dijo Ninfa, llevaba 7 años ocupándola, y eso fue lo que señalé como tercer «Suceso»:

3. Casa de Mirasierra: desde hace 7 años.

Salí al jardín. La hierba estaba enfangada por la lluvia reciente, y aplasté el flexible cigarrillo de una lombriz. Las hojas de los laureles parecían artículos de joyería. Un perfume a flor y tierra húmeda oreaba la atmósfera. Espié el rectángulo zafiro de la piscina a través de la valla de cañas de bambú, que la brisa convertía en un xilófono chino. Concluí que llevaba una vida desahogada, lo cual me satisfizo un poco. Di una vuelta completa y entré por la puerta trasera. Me sentía nervioso sin saber por qué, con la inquietud azuzándome como un tábano. Fui al despacho, revisé las estanterías y encendí el ordenador, pero no encontré diarios personales ni autobiografías; tampoco fotos familiares, retratos o correspondencia. Sólo libros (y ni siquiera míos: eran los recuerdos de otros), obras clásicas en latín y griego. Comprobé que mis conocimientos profesionales y mundanos se hallaban intactos en mi cerebro. Quiero decir que sabía quién era Ovidio, recordaba a la perfección las lenguas muertas y conocía el lugar donde vivía. Lo único que ignoraba era mi pasado. Dioses y diosas del Olimpo, sentí la tentación de rogar, ¿quién soy? Me encontraba solo. No sabía qué hacer. Se me ocurrió salir de nuevo al jardín, o dar un paseo por la ciudad, o dormir. Intuí que podía hacer las tres cosas a la vez. De hecho, ya lo estaba haciendo: mis ojos eran dos bostezos abiertos hacia el mundo. Y mi ánimo... Me sentía como si alguien me hubiera robado mi mascota preferida, esa ternera joven y retozona que nos hace brincar y reír al borde de la tragedia. Una sensación de tedio insoportable me invadía, y ni siquiera recordaba qué remedio empleaba antes para no aburrirme.

Entonces me fijé en la bolsa de hule.

Estaba en el suelo del despacho, junto a la puerta. Era de color alquitrán, ondulada como un gato. Llevaba el logotipo de la guardia civil de tráfico, y una etiqueta atada al asa decía: «Efectos personales de Juan Cabo encontrados en su coche». Abrí la cremallera y hallé una libreta de pastas negras muy semejante a la que me habían dado en la clínica. No había otra cosa en la bolsa. Me intrigué. Abrí la libreta y, en la primera página, sorprendí aquel párrafo escrito con mi letra, apenas seis líneas. Llevaba fecha y hora: 13 de abril de 1999, a las once y media de la noche.

Me he enamorado de una mujer desconocida. Escribo esto mientras ceno en el restaurante La Floresta Invisible. Ella ocupa una mesa solitaria frente a la mía y yo observo su espalda desnuda (debido al pronunciado escote de su vestido negro) y su cabello castaño claro atado en un moño. Su figura es

En aquel punto se interrumpía. Las páginas siguientes estaban en blanco. Volví a leer el párrafo. Lo leí varias veces.

Bien mirado, no tenía ninguna importancia. Podía significar miles de cosas. Pero así empezó todo.

En mi libreta, como cuarto «Suceso», referí:

4. Párrafo de la mujer desconocida.

Pasé el resto de la tarde meditando sobre el enigma. La fecha y la hora no dejaban lugar a dudas: había escrito aquello un poco antes de estampar la carrocería de mi coche contra el muro de la autopista. Mi criada me aclaró que la noche del accidente yo había salido a cenar fuera para celebrar (a solas) mi cumpleaños (justo castigo, parecía decirme su mirada, por haber abandonado el nido hogareño). Consulté las Páginas Amarillas y allí estaba el anuncio, orlado de ramas de laurel. Debajo: «Restaurante del escritor aficionado». El lugar, a pesar de su ridículo nombre, era real. ¿Y el resto? No tendría nada de particular, pensé: mientras cenaba, vi a una mujer especialmente bella y me emocioné tanto que decidí registrarlo por escrito. Después... ¿Qué había ocurrido después? ¿Se relacionaría todo aquello, de algún modo, con mi accidente?

Pero otra posibilidad más extraña me inquietaba. «¡Un momento! ¡No debo olvidar que soy escritor! ¡Esto puede ser, simplemente, el inicio de alguna obra!» (Reconocí, incluso, que me hubiera gustado leer una novela que comenzara de aquella forma: *Me he enamorado de una mujer desconocida.*)

El dilema era insoportable. Me inclinaba por la primera hipótesis: sonaba tan *real*, tan *urgente*... Pero ¿por qué me había interrumpido en *Su figura es*? ¿Había dejado de escribir para intentar abordarla? ¿Se había agotado mi inspiración? «Sea como fuere –decidí–, quiero saber la verdad, debo saberla, voy a saberla.»

Y, sintiendo un impulso repentino, me propuse visitar esa misma noche La Floresta Invisible.

II
LA FLORESTA INVISIBLE

Aguardé hasta que el atardecer se extinguió. Entonces se lo dije a Ninfa. Allí, en el oscuro balcón de sus pestañas grandes, vi asomarse el miedo. Pero se encogió de hombros sin replicar. Usted ya es adulto, sabe cuidar de sí mismo, decía su gesto. Me sorprendió aquella reacción y no supe qué hacer. Ignoraba si en mi vida pasada yo acostumbraba a tranquilizarla cada vez que salía a cenar, o le decía que iba a volver pronto, o simplemente no le hacía caso. Opté por no añadir nada más, me aseé, elegí un traje oscuro y llamé a un taxi por teléfono. El conductor era muy joven, y se disculpó por tener que consultar el callejero continuamente: acababa de obtener la licencia, confesó, y su padre, que también era taxista, le había prestado el coche. Pensé que a mí me había ocurrido igual. «Le he pedido prestado el cuerpo a Juan Cabo –reflexioné–, y ahora necesitaría un callejero para saber a dónde ir.» Pero supuse que era un pensamiento típico de escritor, y me lo quité de la cabeza. Atravesamos la M30, de infausto recuerdo. Yo había chocado en algún punto de aquella autopista al regresar del restaurante. ¿Por qué?, me preguntaba. ¿Estaba borracho? ¿Exceso de velocidad? ¿Un accidente fortuito? La noche era cálida y se hallaba iluminada de vehículos y anuncios, pero la calle de La Floresta Invisible, cercana a Alcalá, rivalizaba con la penumbra. Llegamos cuando daban las 10. Durante el trayecto, había sacado la libreta y anotado el quinto «Suceso»:

5. Cené en un restaurante la noche de mi cumpleaños.

El vestíbulo era una habitación de paredes pintadas de rojo y dorado, como un incendio, la del fondo adornada con el lienzo de un amanecer impresionista. La carta, erguida en un rincón sobre un atril de hierro, no me atrajo. Unas escaleras descendían hacia el local, de donde procedía la melodía bailable de una orquesta de saxofones. Bajé los peldaños deteniéndome a leer los nombres de los retratos que colgaban a uno y otro lado: William Faulkner, Marcel Proust, James Joyce, Leon Tolstoi, Juan Cabo. «Caramba, éste soy yo.» Era la misma imagen que había visto en la solapa de los libros y en los periódicos. Sospeché que se trataba de lo mejor que podía conseguir el arte de la fotografía con un rostro como el mío. No me sorprendió demasiado encontrarme al lado de autores tan célebres: yo había perdido la memoria, así que ignoraba si era genial. Quizá lo era, o lo había sido, pero para saberlo tendría que preguntárselo a los demás.

El salón, no muy grande, quedaba al final de las escaleras. Un camarero me acompañó reverencialmente a una mesa y me entregó una carta forrada de piel. El adorno del centro me llamó la atención. Era un pequeño oso de metal que se alzaba sobre las patas traseras abrazando un ramillete de rosas de papel blanco. Cada mesa mostraba una clase distinta de flores: reconocí pensamientos, margaritas y claveles en las más cercanas, todas, invariablemente, en papel blanco. Examiné las rosas con curiosidad. El papel tenía la textura de un folio DIN A4 y cada pétalo contenía frases diminutas. «¿Qué es poesía?», preguntaba uno. Otro respondía: «Dices mientras clavas en mi pupila tu pupila azul». Fui apartándolos con delicadeza de abeja y descifré cuatro rimas completas de Bécquer. Evidentemente, las flores de otras mesas citarían a otros autores. Un fino adorno para La Floresta Invisible, desde luego, pensé.

Miré a mi alrededor. No había muchos clientes –la mayoría, hombres solitarios– pero casi todos estaban escribiendo. Resultaba fascinante contemplarlos: cortaban la carne o el pescado, se llevaban un trozo a la boca, dejaban los cubiertos, cogían el bolígrafo, que era blanco y de capuchón curvo, y lo hacían patinar sobre la cuartilla como un cisne sobre agua helada. La operación se repetía tras el sorbo de vino o la higiene de la servilleta. Lámparas estratégicamente situadas permitían que cada mesa contara con luz propia. En ese momento se acercó un tipo estirado y narigudo que me estrechó la mano como si quisiera extraerme el saludo a base de accionar una palanca.

–¡Señor Cabo, qué alegría tenerlo de nuevo con nosotros!... ¡Cuánto hemos sentido lo de su accidente!... ¡Ha sido terrible, terrible, terrible!... ¡Pero qué alegría tenerlo de nuevo con nosotros!...

El negro atuendo y el contraste de urraca de la camisa blanca parecían identificarlo como el *maître*, pero afirmó ser «el encargado». Se llamaba Felipe. Sus miradas de soslayo, sus muecas y una vena que le latía en la frente me hicieron pensar que se hallaba inquieto. Sin embargo, pronto comprendí que el inquieto era yo, y que la causa de mi inquietud era él. Se comportaba como si supiera un secreto valioso y tasara mi capacidad para sonsacárselo. Me percaté de que ignoraba todo lo relacionado con mi amnesia, o fingía ignorarlo.

–¿Ya sabe lo que va a comer?

–No, aún no, gracias.

–¿Y desea las cuartillas ahora, o más tarde?

–¿Las cuartillas?

–Sí. –Y la vena en su frente se convirtió en un signo de admiración–. Donde nos hizo el honor de escribir algo la otra noche.

«Pídanos papel y pluma y escriba lo que desee mientras paladea nuestras sugerencias. Después guardamos su texto con vistas a una posible publicación.» Así rezaba el encabezamiento de la carta. Al parecer, se trataba de la costumbre del local, y comprendí por qué había tantos comensales ocupados en aquella tarea. No hacía falta ser muy perspicaz para sospechar que yo podía haber escrito algo en las cuartillas acerca de la mujer desconocida. Las pedí, y también un menú muy sencillo. El encargado hizo una reverencia y se alejó. Un camarero no tardó en traerme una bandeja con un bolígrafo y una carpeta de piel negra con un adhesivo donde se leía: «Juan Cabo. 13 de abril. Noche». Abrí esta última y hallé unas hojas tamaño cuartilla unidas por anillas metálicas. Al parecer, sólo la primera estaba escrita. Reconocí mi propia letra.

No puedo dejar de mirarla. Está en una mesa frente a la mía. Me he enamorado de ella...

Hice una pausa en la lectura y cerré los ojos. Mi corazón inició una cabalgata íntima, sin destino. En los altavoces alguien cantaba «Amor, amor, amor» y sentí que la cabeza me daba vueltas. La cabalgata proseguía, palpitante, y la acompañé de dos tics que etiqueté como ancestrales (aunque, por supuesto, no los recordaba): un furioso golpeteo de mi pulgar derecho contra la nariz y un temblor finísimo de la rodilla derecha. ¿Acaso me había enamorado? No estaba seguro. Tendría que seguir leyendo para saberlo. Sin embargo, me atrevía a anticipar el resto. Presentía una hermosa descripción física y una declaración profusamente adjetivada. Tomando aliento en mi fogosa carrera, bajé la vista hacia el papel. Pero en aquel momento una mano lo eclipsó con el primer plato. Era sopa de letras. Cerré bruscamente la carpeta, molesto con la interrupción. Una I, una D, otra I, una O, una T y una A flotaban a su libre albedrío en el caldo, pero me negué a aceptar la palabra que, con velocidad de anagrama resuelto, me sugirió aquella azarosa combinación de fideos gráficos. Después de probar dos sorbos, regresé a la cuartilla.

No puedo dejar de mirarla. Está en una mesa frente a la mía. Me he enamorado de ella... Sin embargo, a primera vista, parece igual a las otras... ¿Qué tendrá esa escultura que no tengan las demás? ¿Serán las ramas de laurel? Quizá sea el oso. El oso enajena mis sentidos. Pelaje de plata, morros de laca china... ¡Oh, algo tiene el OSO que me enamora! ¡Está repleto de fantasía!

Eso era todo. La cuartilla estaba escrita por una sola cara. Las demás mostraban el limbo nevado del papel virgen. Leí varias veces el texto, desconcertado. Por un instante no pude hacer otra cosa sino leer. Después, ni siquiera eso: sólo la postura. «El lector estupefacto», hubiera podido titularse la estatua en que me había convertido. ¿Qué había querido decir con aquella estupidez del oso? ¿Se trataba de un símbolo oculto, una clave, un gusto personal? Me fijé en los osos de las mesas próximas y estudié detenidamente el de la mía, pero no les encontré nada de parti-

27

cular. La figura era mediocre, casi ridícula; se hallaba dotada de los tristes aires clónicos de cualquier objeto fabricado en serie. Sin duda, yo había pretendido bromear al escribir aquello, o bien se trataba de mera literatura.

–¿Todo a su gusto, señor Cabo? –Se acercó el encargado sonriendo.

–Más o menos –dije.

–¿Algún problema que podamos ayudarle a resolver?

El hombre se inclinaba, tieso y oscuro, junto a mi oído. Su larga nariz y su traje negro le otorgaban un curioso aspecto de cuervo. Le pregunté si recordaba dónde me había sentado la vez anterior.

–No podría olvidarlo aunque quisiera –contestó–. Allí, en la mesa 12. ¡Qué triste que esa noche fuera la de su accidente!...

Observé que la única mesa que había frente a la 12 se adornaba con ramas blancas de laurel. El texto no mentía en aquel punto: había ramas de laurel en la mesa de enfrente. Se trataba de la número 15, según el encargado. Le pregunté si recordaba a la mujer que había ocupado la mesa 15 aquella noche. Le hablé del vestido negro, la espalda desnuda, el moño en el pelo. Y agregué: «Era muy atractiva». Esto último no lo sabía, ya que el párrafo de la libreta se interrumpía, precisamente, al comienzo de la descripción de su figura. Pero supuse que jamás me habría enamorado de una mujer que no fuera atractiva. Si ella existía, entonces mi amor había existido, y si mi amor había existido, ella era atractiva. Por una simple propiedad matemática cuyo nombre, como mi biografía, había olvidado, se demostraba que la existencia y la belleza de aquella mujer se hallaban indisolublemente unidas.

–¿La recuerda? –pregunté.

Me pidió disculpas. A mí me recordaba muy bien, afirmó, pero a los demás clientes no. Pensé que no le faltaba razón. En fin de cuentas, yo era un hombre célebre y ella una mujer desconocida. Entonces se me ocurrió una idea. Saqué de la cartera un billete de mil.

–Voy a pedirle algo muy raro, pero como usted es tan amable...

–Pídame lo que quiera –sentenció, aceptando la propina.

Le expliqué el tema de mi amnesia y le rogué que me contara todo lo que me había visto hacer aquella noche. «¿Todo?», preguntó. «Todo lo que usted recuerde», precisé. Abrió desmesuradamente los ojos. Su vena pulsaba como mi corazón unos momentos antes. Empezó a asentir y a sonreír al mismo tiempo, la cabeza oscilando de arriba abajo, los labios distendiéndose hacia los extremos. Los grados de oscilación y distensión acrecían simultáneamente. «Ha dado con el hombre indicado –dijo–, porque lo tengo escrito.» Y sacó de la chaqueta una libreta de pastas negras similar a la que me habían dado en la clínica y a la que había encontrado en la bolsa de hule. En ella –aseguró con el semblante empurpurado–, anotaba los acontecimientos más importantes de su vida. Pero la libreta apenas había sido usada.

En realidad, mi presencia la noche anterior había constituido el primer acontecimiento importante de su vida, de modo que podía afirmarse que yo la había estrenado. Y la abrió por la primera página para que lo comprobara.

En efecto, aunque con caligrafía nerviosa y difícilmente legible, la frase inicial parecía declarar:

¡¡¡Ha venido JUAN CABO!!!

Y se rodeaba de garabatos y de un triple subrayado, a manera de título. Debajo se extendía un texto monstruoso e híbrido, mitad palabras, mitad tachaduras. «Yo se lo leeré, si me permite –dijo–. Usted siga comiendo, que yo se lo leo.» Había perdido el apetito, pero fingí tomar otra cucharada de sopa y mordisqueé un poco de pan. Felipe, de pie a mi lado, libreta en mano, empezó a declamar. En realidad no leía: glosaba. Se disculpó aduciendo la excesiva longitud de sus apuntes. Al parecer, todo el párrafo previo consistía en un canto de alabanza a la divinidad por haberle sido concedida la oportunidad de conocerme. Porque yo era «el célebre autor de *Tenue encuentro* y el ganador del Bartleby El Escribiente», premio éste, añadía, que se había convocado sólo tres veces y, por desgracia, había desaparecido del panorama literario español después de que yo lo obtuviera. Por fin me brindó el primer dato objetivo: mi llegada se había producido a las 9:30. Prosiguió:

–Le ofrecí las cuartillas, pero usted no se decidía... Me dijo algo así como: «Dejemos el trabajo para más tarde»... Pidió el mismo menú de hoy... Después hay un espacio en blanco... Sí, creo recordar que me retiré a atender a otros clientes... Entonces usted me llamó. Al acercarme, noté algo extraño. Se lo leeré. –Y lo hizo, imprimiendo a su voz el adecuado tono dramático–: «El señor Cabo tenía la mirada fija en un punto frente a él, como si se hubiera quedado fascinado observando algo o a alguien. Entonces, con voz balbuceante, me dijo...» –Se detuvo para excusarse por lo de «voz balbuceante». Le rogué que no se preocupara y que siguiera leyendo. Continuó–. «...con voz balbuceante, me dijo: "Por favor, tráigame las cuartillas". ¡Oh, el señor Cabo se ha inspirado!, pensé. Ésa era la explicación más lógica de su pétrea mirada y de la expresión mística de su rostro...»

–¿Y qué era lo que miraba, Felipe? –pregunté, en tono casual–. ¿Se fijó usted?

–Espere, oiga esto. –Y siguió leyendo–. «El señor Cabo se había puesto a mirar y todo su semblante había cambiado. Sus pupilas lanzaban destellos. Las comisuras de sus labios se aventuraban a esbozar una tímida sonrisa. Un hilillo brillante de saliva...»

–Pero ¿qué era lo que estaba mirando, Felipe?

El buen hombre se impacientaba con mis interrupciones. Era obvio que deseaba mostrarme el virtuosismo de su prosa.

–No lo sé –contestó secamente–. Déjeme que siga. –Pasó una página y continuó–. «Cuando le traje las cuartillas, el señor Cabo amusgó los ojos...» ¿Qué le parece? Me gusta esta frase. –Y la repitió–. «El señor Cabo amusgó los ojos, cogió el bolígrafo y empezó a escribir con lentitud, poseído por el hermético trance del creador. Mientras tanto, amusgaba los ojos en dirección a aquello que miraba...» Vaya, aquí me repetí. –Hizo otra pausa, sacó un bolígrafo y tachó algo.

–Pero ¿qué era lo que miraba, Felipe? –insistí, tratando de que mi voz no revelara la ansiedad creciente que sentía.

Reflexionó un instante.

–Ahora que recuerdo, yo estaba casi seguro de que usted miraba *algo* que había en la mesa 15 –dijo.

–¿Y no sabe usted qué era? –A pesar de mis esfuerzos, la irritación alteraba mi tono–. ¿Un objeto? ¿Una persona? ¿No volvió usted la cabeza y siguió la dirección de mi mirada?

Me observó en silencio, frunciendo el ceño bajo la vena pulsátil. Al fin dijo:

–Señor Cabo: yo no miraba hacia donde usted miraba sino hacia usted. Intentaba captar su expresión para describirla, a la manera de..., salvando todas las distancias y dentro de mis modestas posibilidades, claro..., los grandes párrafos de Marcel Proust... Le confieso que mi pasión por Proust no conoce límites. Fíjese en lo que digo después... «Al tiempo que escribía, el señor Cabo no dejaba de alzar la vista para mirar al frente y obtener, de aquello que miraba con tanto deleite, la inspiración directa de sus palabras, porque era como si lo mirado, o aquello que el señor Cabo miraba, gobernara sus gestos sobre el papel, y, al mismo tiempo, como si aquello que era mirado por el señor Cabo, fuera, por el solo hecho de ser mirado por el señor Cabo, un producto directo de su inspiración perso...»

Mi mano dejó de golpear la nariz para atacar la mesa. Las letras de la sopa bailaron.

–¡Pero qué miraba, Felipe! –estallé–. ¡Haga memoria! ¿Qué miraba? ¡Usted tuvo que fijarse, hombre!

Comprendí que había provocado un pequeño desastre. Algunos clientes, incluso, volvieron la cabeza para observarnos. El encargado me contemplaba muy erguido. Le pedí excusas y le rogué que continuara leyendo. Lo hizo, pero de mala gana, con aire de dignidad ofendida. Pasó con rapidez un par de páginas y recitó sin entonación, de carrerilla. Logré entresacar los siguientes datos: que al pedir la cuenta, escribí algo en una libreta de mi propiedad; que de pronto me interrumpí, guardé el bolígrafo y la libreta, me puse en pie, pagué en efectivo, dejé una cuantiosa propina y corrí hacia las escaleras, «como si estuviera siguiendo a alguien que se marchaba» (y en este punto la esperanza me hizo sonreír, pero Felipe añadió enseguida: «o como si hubiera recordado algo; o como si huyera de algo que le perseguía; o como si una idea luminosa hubiera agitado las alas dentro de él»). La narración finalizaba con estas palabras: «Adiós, señor Cabo, le dije. Vuelva pronto, señor Cabo. Usted me ha enseñado lo que significa ser un gran escritor».

Tras esta última frase, cerró la libreta y se sumió en un silencio digno. «Esto es todo», parecía querer decirme. «Ahora es su turno. Crucifíqueme si desea.» Un camarero aprovechó la pausa para abandonar el segundo plato: solomillo con patatas cortadas en forma de letras. Pero la habilidad del cocinero sólo había conseguido crear jotas y aes.

–Muy bien. –Pinché una J y una A; luego otra J y otra A–. Escribe usted muy bien, Felipe.

Su reacción fue extraña, como si hubiera sospechado mis verdaderos sentimientos. Se envaró y frunció el ceño.

–Le recuerdo al señor que no soy curioso. La corneja, asegura la fábula, se volvió negra porque era curiosa. Si las piedras hablaran, dice el refrán, Dios sabe lo que dirían. Pero yo no soy piedra, y por lo tanto no hablo. Tampoco puedo adivinar el futuro. Vivo feliz y no envidio a nadie. A nadie, señor. Perdone usted.

Y tras decir todo aquello hizo una reverencia y se alejó. Saqué la libreta de la clínica y me apresuré a dedicarle el cuarto puesto de «Personas»:

4. Felipe: narigudo, insoportable, loco.

Me sentí mucho mejor. Aunque no recuperara la memoria, aquella libreta serviría, al menos, para desahogarme.

Una voz femenina empezó a cantar «Ansiedad» en una pésima grabación donde la palabra sonaba «Anedá». Pensé que me hallaba como al principio. El relato del encargado era ambiguo: yo podía haber estado contemplando a una mujer fascinante, sentido una súbita inspiración o disimulado un repentino cólico. Cualquier cosa era posible, y hasta probable, a juzgar por aquel texto. Y lo del oso me desconcertaba. Barajé diversas explicaciones: que era un párrafo irónico o simbólico; que se trataba de un apunte para una novela experimental; que era una broma; que no era nada.

De pronto, algo rozó mi mejilla. Una nariz. La brusca reaparición de su propietario casi me hizo saltar del asiento.

–Pero, en fin, si lo que desea usted es saber quién ocupó la mesa 15 aquella noche...

–Eso es exactamente lo que deseo saber –dije.

–Pues nada más fácil. ¿Ve a aquel señor? –Señalaba a un anciano calvo de gafas gruesas y aspecto humilde que inclinaba su oronda cabeza, como un toro manso, sobre las cuartillas en un velador del fondo–. Se llama Modesto Fárrago y es uno de nuestros mejores clientes. Viene cada noche y se dedica a describir a todos los comensales, mesa por mesa. Venga conmigo. Se lo presentaré.

III
LO QUE ESCRIBIÓ
MODESTO FÁRRAGO

–El señor Juan Cabo, el señor Modesto Fárrago.

Nos estrechamos la mano y el anciano me in-
vitó a sentarme. Sobre la mesa se aglomeraban las
cuartillas. El oso abrazaba jacintos de papel. Le
expliqué el problema sin ofrecer demasiados detalles, pensando que pondría reparos a que un extraño revisara sus notas. Pero se alegró al saber
que alguien deseaba leer algo suyo, y le pidió a
Felipe las hojas del 13 de abril. Mientras aguardá-
bamos me convidó a vino, y los camareros trasladaron allí mi segundo plato. Tuve tiempo de conocer a mi interlocutor: era un anciano robusto,
casi completamente calvo, de cabeza amelonada,
patillas níveas y piel muy tostada. El ostentoso
armazón de las gafas denunciaba una miopía no
menos notoria, pero ésta no parecía interferir en
su labor. Afirmaba que era portero jubilado y que,
en realidad, no había cambiado de oficio: seguía

mirándolo todo «como una serpiente, sin parpadear», y contándole a los demás lo que veía.

–Nací en Ciudad Real. –Hizo una pausa, como si quisiera otorgarme tiempo para que asimilara este dato.

Y después:

–Yo no escribo, mire usted, yo describo. Me he recorrido España entera y he visto muchísimas cosas. Soy de los que han nacido para mirar y reflejar lo que ven... Me he dejado los dientes en esto. Cada uno tiene su historia –agregó. Ignoro si aún seguía refiriéndose a sus dientes–. Eso sí, se lo juro por la Santísima Virgen, jamás he mirado nada que fuera prohibido o pecaminoso. Hay cosas que no se deben ver, y cosas que se ven mejor con los ojos cerrados. No sé si me explico... Quiero decir que lo importante es escribir, no curiosear. Yo me siento y escribo. Por eso vengo aquí cada noche, porque aquí puedo hacerlo sin ofender a nadie. La gente viene a los restaurantes a ser mirada, ¿no cree?

Y al decir «no cree» sonreía con ternura y su rostro adoptaba una llamativa expresión de bondad que, misteriosamente, parecía legítima. Como si, a fuerza de mirar sin pasión, Modesto se hubiera convertido en una cosa que podía conocerse por completo sólo con mirarla desapasionadamente. Tenía que esforzarme en pensar que no era así, que aquella tranquila cazurrería poseía más de dos dimensiones. No hay alma que se muestre desnuda a disposición de unos ojos: esto lo sabía yo a pesar de mi amnesia. En sus guiños, en su lenguaje aparentemente improvisado, aquella Salomé tenía que reservarse, al menos, un pequeño velo. Pero sus tiernas sonrisas me provocaban a resumirlo. Y escribí, mientras él no miraba, en «Personas»:

5. Modesto: miope, «abuelo bondadoso».

La única concesión que hice al escepticismo fueron las comillas. Entre tanto, un camarero había traído una carpeta similar a la mía pero con el adhesivo: «Modesto Fárrago. 13 de abril. Noche».

–Lea lo que usted quiera, hombre –dijo el anciano, pasándomela–. Si esa mujer estuvo aquí, estará *ahí*.

Eran unas treinta cuartillas escritas por ambas caras. La letra era legible pero monótona, fruto de una intensa aunque rutinaria experiencia, como la del chapucero que coloca siempre los tornillos de la misma forma, a la vez irregular y perfecta. Las descripciones estaban encabezadas por el número de mesa, desde la primera hasta la última. Cada comensal merecía un solo párrafo. Si otro cliente había ocupado el mismo lugar, se le otorgaba un nuevo párrafo bajo idéntico epígrafe. Como es natural, había mesas dedicadas a los asiduos (como el propio Modesto, que ocupaba la 2, la única que no describía), y Fárrago los despachaba con breves líneas. En ocasiones, incluso sabía sus nombres. Por ejemplo, en la 5:

Mesa 5
Otra vez el desagradable de Gaspar Parra viene a practicar su deporte favorito. Ahí lo veo: pide sus cuartillas y aguarda la llegada de su primera presa.

La mesa 5 se hallaba cerca de la nuestra. Un individuo calvo y demacrado se erguía detrás, escribiendo con parsimonia mientras paladeaba una copa de pacharán. Quizá fuera Gaspar Parra, aunque yo ignoraba cuál era el «deporte favorito» al que aludía Modesto. Pasé la página, postergando adrede el descubrimiento de la mesa 15. Mientras tanto, castigaba con el pulgar la punta de mi nariz y mi pierna derecha desataba su seísmo particular.

En la 7:

Mesa 7
El mismo individuo de la cara fofa de ayer y anteayer. Sólo hace mirar y mirar. De vez en cuando, muy de vez en cuando, escribe.

Creí identificarlo en el sujeto de esa noche. Tenía que ser él, porque el rostro, en efecto, parecía derretírsele en rasgos blandos, como una bolsa vacía, apenas sostenidos por la grapa de un gran bigote negro. Vestía de gris, con chaleco y corbata. En aquel momento torcía la cabeza en nuestra dirección, y, aunque la distancia y las luces me impedían saberlo con absoluta certeza, estaba casi seguro de que nos miraba (o *me* miraba). Pero dejé de prestarle atención. Me aproximaba a la mesa-meta con lenta rapidez, con ese ritmo incesante, y a la vez moroso, de quien no desea, y al mismo tiempo anhela, encontrar lo que busca. En la 9, el texto era sumamente parco.

Mesa 9
Grisardo, el poeta.

El noveno velador quedaba en una esquina, invadido de sombras, pero logré distinguir, agazapado, a un joven de largos cabellos. ¿Grisardo? Daba igual. Pasé otra página. Sentía las palmas de las manos húmedas de sudor. Me exasperaba la posibilidad de no encontrar la descripción de aquella mujer. Sin embargo, también me irritaba la posibilidad opuesta. En el primer caso, ella no existiría; en el segundo, debido a la posición de las mesas, Modesto habría visto *su rostro*. Pero el anciano, con ser buen observador, carecía por completo de imaginación. La belleza (ahora me percataba) no puede describirse: es preciso inventarla. La posición y tamaño de una nariz o la geometría de unos ojos son datos inútiles; sólo adjetivando se logra narrar la hermosura. Y Fárrago empleaba los adjetivos con desconfianza, como si no le gustaran, y únicamente para descalificar. Si ella estaba (o existía, porque, dada la índole de la situación, *estar*, en este caso, equivalía a *ser*), yo leería su descripción. Pero no sabía qué prefería: si enfrentarme a su inexistencia o a la enumeración cruda e inclemente de su aspecto.

De repente, en la mesa 12, hube de detenerme

de nuevo, frenado esta vez por la misma tentación que nos inmoviliza ante un espejo.

Mesa 12

La ocupa, a las 21:30, un tipo bajo y delgado, cargado de espaldas, con pelo castaño claro y una cara rarísima, casi una máscara: nariz gorda, ojos saltones, barba de cualidades postizas, labios gruesos y gafas redondas. Felipe lo saluda con mucha efusión. Al sentarse a la mesa, el tipo se golpea la punta de la nariz con el pulgar, gesto que repite con frecuencia.

Al leer la última frase, me percaté de que me estaba golpeando la punta de la nariz con el pulgar. Fue como verme reflejado en un espejo que sostuvieran manos ajenas. Como si entre aquellas palabras y mi gesto existiera un puente del grosor de un papel. Un súbito delirio me llevó a realizar la siguiente tontería: extendí los dedos y toqué la suave caligrafía de Modesto. Creí sentir que palpaba un objeto no muy diferente de mis propios dedos o de la punta de mi nariz: un extremo de mí mismo, todo lo alejado que se quiera, pero que también me pertenecía. Fárrago añadía:

Se quita las gafas para limpiárselas, y observo que sus ojos no son del todo feos.

No creo que pueda imaginar quien lea esto (tú, lector, si es que estás ahí, a la mínima distancia del papel) el efecto que provocó en mí aquella úl-

41

tima y definitiva línea. Hasta ese momento había estado pensando que la descripción de Modesto era correcta «desde su punto de vista». Al leer que mi cara era una «máscara», no me ofendía (me mostraba de acuerdo) pero añadía mentalmente: «Desde su punto de vista». Sin embargo, cuando llegué a «*sus ojos no son del todo feos*», dejé de recitar aquella coletilla mental y asumí la frase como una verdad evidente, una declaración profundamente imparcial, ajena al «punto de vista» de su autor. «Si este hombre lo dice, será por algo», pensé. Y casi sentí la tentación de agradecérselo.

Al fin, logré pasar la página.

Mesa 13, un hombre solitario. Mesa 14, una pareja. Mesa 15...

Apenas 6 líneas. Nadie ha leído jamás 6 líneas con tanto fervor.

Mesa 15
¡Oh, me he quedado boquiabierto al verla! ¡Qué belleza, qué esbeltez, qué líneas, qué armonía! Es redonda, como las demás, con su adorno de laureles de papel, pero ¡qué mesa! Ha estado vacía toda la noche, y ello me ha permitido contemplarla a gusto. ¡Qué mesa más hermosa! ¡Vacía, pero repleta de fantasía!

La broma ya me parecía excesiva.
–¡No puede ser!

Saqué la cuartilla de la carpeta y se la mostré a Modesto, exasperado.

—¡Que no, hombre! ¿A qué viene esto de la mesa? ¡No puede ser, caramba!

Cuando logré contenerme, comprobé que el anciano ni siquiera había mirado la hoja que yo le enseñaba. Me observaba sonriendo, los ojos apretados al fondo del túnel vidrioso de sus gafas, pero su irritación me llegaba con idéntica nitidez que el hedor a vino del aliento.

—Mire, perdone. —El tono era glacial—. Usted podrá ser un gran escritor, no lo discuto. Pero en lo tocante a mi oficio, déjeme que sea yo quien opine. Llevo toda mi vida haciendo esto, ya se lo he dicho. Yo cuento lo que veo, señor mío. No me venga ahora con que «no puede ser»...

Balbucí una excusa, pero ya no había quien lo detuviera.

—¡Yo no invento nada, oiga! ¡Eso se lo dejo a los literatos! De manera que tenga mucho cuidado con lo que dice...

Se irritaba cada vez más, se encorvaba, alzaba la voz, su mandíbula sobresalía como un embudo, el tueste natural de su piel se oscurecía con tintes rojizos. La gente a nuestro alrededor empezaba a alistarse en las filas de ese público curioso que nunca falta en los pequeños escándalos. Decidí guardar silencio, y su enfado menguó un poco. Vació otro vaso, se limpió con la servilleta y sólo entonces le hizo caso al texto.

—A ver, ¿qué es lo que «no puede ser»?

Señalé el párrafo. Se quitó las gafas y hundió la

nariz en la cuartilla. En aquel momento se aproximó Felipe.

–¿Va todo bien, señor Cabo?

Pero no tuve tiempo de contestar. Fárrago había levantado la cabeza, el rostro grana, los labios trémulos.

–Me cago en... –barboteó–. ¡Esto no es mío! ¡Esto lo ha escrito otra persona!

IV
EL MISTERIO

Yo aún no sabía que había uno, claro. Un misterio al cual tendría que enfrentarme. El escritor acepta con esfuerzo los enigmas de la realidad: estamos tan acostumbrados a inventarnos los arcanos que acabamos igualándolos a la fantasía. Pero a ti te ocurre todo lo contrario, lector. Reconócelo: padeces el ansia báquica de lo insólito. Te impulsa a avanzar el simple hecho de que las páginas futuras son un secreto. Porque tú ya percibías desde el comienzo de esta cosa, que no es novela, ni crónica real, ni nada que se le parezca (ya encontraré un nombre que la defina), lo que yo no comprendí sino mucho después: que a lo largo de ella fluye, opalino, profundo, el cauce inefable del misterio. Lo supe cuando leí –como tú has hecho, como hizo Modesto– detenidamente. Porque la lectura no responde a nuestras preguntas, pero las ilumina.

En aquel momento, sin embargo, sólo percibía un insólito embrollo. Modesto se había levantado y vociferaba que alguien había modificado sus notas de la mesa 15. Un camarero bajito se había situado entre Felipe y él, como un muro protector. La música había cesado. Los más curiosos se acercaban a examinar la cuartilla en cuestión. Reconocí entre estos últimos al calvo y demacrado Gaspar Parra. El papel fue pasando de mano en mano.

–Es tu letra, Modesto –decía Felipe.

–¡Puede ser! ¡Pero no son mis frases!

–Hombre...

–¡Coño, que te lo digo yo! ¿No lo sabré mejor que tú?

La voz de Parra, grave y respetable, extinguió los murmullos.

–Aquí se aprecia tu mano, Modesto... La descripción es sarcástica, muy propia de ti...

Fárrago le arrebató el papel, se quitó las gafas y encorvó su miopía sobre el texto.

–«Oh, me he quedado boquiabierto al verla» –leyó, en tono burlón–. «Qué belleza, qué esbeltez, qué líneas... Ha estado vacía toda la noche, y ello me ha permitido contemplarla a gusto...» –Le temblaban las manos–. ¡Esto lo ha escrito un subnormal! ¡Yo hubiera dicho: «La mesa estuvo vacía toda la noche», y a hacer puñetas!

–Y eso es lo que dices –repuso Parra con calma–, pero lo adornas de frases irónicas...

–¡Yo no soy irónico, coño!

–Hombre, Modesto... A veces, cuando bebes...

Estallaron gritos filológicos. ¿El alcohol predispone a ironizar? Una muchacha de traje canela, esbelto talle, lazo azul en el pelo y aires de profesora refutó la hipótesis con absoluta seriedad. Un hombre gordo y melenudo le discutió. Se organizó un debate. Pero pronto comprendí que Modesto y Parra estaban deseando desahogar una inquina mutua y soterrada. Al fin, las verdades estallaron en la boca, como cigarros de broma.

–¡Qué vas a saber tú de lo que escribo, Gaspar! ¡Ni de literatura sabes! ¡Si tú te dedicas a despelotar a las mujeres del restaurante en tus cuartillas, hombre!...

La revelación del «deporte favorito» de Parra hizo que éste perdiera su sonrisa imparcial. La muchacha del lazo azul cesó bruscamente de citar a Umberto Eco y dirigió al aludido una fúnebre mirada. Regresó el silencio, pero todos parecían tener unas ganas inmensas de hablar, y deduje que en eso se notaba que eran escritores inéditos. Modesto adornaba el vicio de su colega con detalles cada vez más complejos: «Describes a las clientas como si estuvieran desnudas... Te pintas a ti mismo yendo de mesa en mesa y sobando sus intimidades...». El acusado no movía ni un músculo: sólo su nuez delataba la presencia de vida. Felipe intentaba mediar en vano. Por fin, Parra alzó la voz con súbita frialdad:

–Muy bien, hombre. Ya veo que a ti te da igual lo que escribes sobre esa niña de ocho años. –Y notando el pálido efecto que causaba en el rostro de Fárrago–: Porque supongo que no te importará que la gente sepa que te has inventado a una niña de ocho años que vive en tu casa... y que cada día redactas dos o tres folios a máquina sobre ella... ¡Me gustaría saber qué fantasías imaginas con esa criatura!

Fárrago hubo de ser contenido por dos camareros. Felipe clamaba:

–¡Gaspar, has hecho muy mal mencionando eso! ¡Yo he leído algunas historias, y te juro, le juro a todo el mundo, que son cuentos inocentes!

–¡Es su nieta imaginaria! –gimió el camarero bajito–. ¡La nieta que siempre quiso tener!

–¡Son cuentos llenos de ternura y pureza! –plañía Felipe–. ¡No hay nada malo en ellos, lo juro por Dios!

–¿Y quién ha dicho que hubiera algo malo? –Se reía Parra–. ¿Yo?

Fárrago bramaba maldiciones. Comprendí que había llegado la hora de escabullirme discretamente. Temía que el león hambriento en que se había transformado, de manera increíble, aquella disputa se revolviera contra mí y me devorara de un bocado. Me deslicé entre el hombre gordo y la muchacha del lazo azul, que en aquel momento le decía al primero:

–De acuerdo, todo lo ficticia que usted quiera, pero es una niña de ocho años... ¡Ese viejo es un pedófilo!

Mis nervios no me permitían lamentar la suerte de Modesto, en quien se cebaban ahora todas las críticas (incluidas las literarias), pero recordé su impetuosa afirmación: «¡Yo no invento nada, oiga! ¡Eso se lo dejo a los literatos!». «De modo

48

que tú también», pensé. «Tú inventas, yo invento, todos inventamos, nadie puede vivir sin inventar. Pobre viejo.» Y agregué: «Y pobre niña», no sé por qué; quizá porque mi piedad de escritor se hizo extensiva al personaje.

Al salir del círculo de espectadores, me di cuenta de que había una sola persona que no se había movido de su mesa. Era el hombre de la cara fofa. La luz lo aislaba en una isla de mantel circular, oso con orquídeas de papel y un pequeño grupo de cuartillas que su mano gordezuela amenazaba con el bolígrafo. El tipo –ahora resultaba evidente– me miraba con espectacular impertinencia. Me detuve a devolverle la mirada. Bajó la cabeza y escribió algo. Volvió a mirarme. Avancé unos cuantos pasos y lo vi escribir de nuevo. Intrigado, me disponía a preguntarle si nos conocíamos, cuando escuché:

–Todo empezó con el señor Juan Cabo.

El Judas era Felipe, que me señalaba con su delgado índice. Una red de rostros vueltos y ojos fijos me capturó.

–Supongo que conocen al célebre escritor Juan Cabo, autor de *Tenue encuentro* y ganador del Bartleby El Escribiente... Este pequeño lío ha comenzado con él, y quizá él pueda ayudarnos a aclararlo... Señor Cabo, ¿tendría la bondad de venir y explicarnos por qué ha sucedido esto?

Un pasillo de espectadores me dejaba el camino expedito hacia la mesa de Modesto. Avancé repartiendo falsas sonrisas como repartiría bendiciones un prelado simoníaco. «Salmacis. Publica en Salmacis», corría el murmullo de boca en boca, a mi paso.

–Cuente, señor Cabo, cuente –pidió Felipe cuando llegué junto a él–. Hable con franqueza... El público, tan diverso, aguardando mi historia. Aquí, el hombre bizco y cetrino, de corbata negra con topos blancos. Allí, la mujer de mejillas gruesas, pelo revuelto y gafas tristes. O el camarero de semblante agresivo. O Parra, mudo y avinagrado. O Modesto, mascullando su rabia en un rincón. Dispuestos a oír lo que yo tenía que contar. Pensé que era la misma situación de siempre: los lectores y el autor. Pero en este caso era necesario decir la verdad.

–Bueno, yo... En realidad, busco a una mujer.

Y me detuve para aclararme la garganta, porque en la última frase, mi voz, consumida por la tensión, había perdido gravedad, se había aflautado súbitamente y había sonado como si una mujer dijera: «Busco a una mujer». Lo difícil fue el comienzo. Después, todo surgió en una misma línea verbal. Hablé del accidente, de la amnesia y de la mujer del párrafo, a la que describí con los detalles que conocía. No aclaré por qué la buscaba con tanto denuedo (yo mismo lo ignoraba a veces). Pura curiosidad, dije. Hice referencia a mis cuartillas y, entre aleteos de murciélago, las saqué de la carpeta. Risas cordiales saludaron mi breve lectura del párrafo del oso. Hablé de Fárrago y de mi decepción al conocer sus notas, que también leí. ¿Alguien la recordaba?, pregunté. ¿Alguien había estado la noche del 13 de abril y había reflejado en sus papeles, o retenido en su memoria, a aquella mujer? La gente intercambió miradas que reflejaban, en imágenes, mi pregunta. No hubo respuesta.

–Me sucede algo muy tonto, tontísimo –proseguí–. Soy escritor, de modo que no puedo fiarme de lo que escribo. ¿Quién sabe si lo que redacté ayer lo inventé o lo viví? Y si no lo viví, ¿hasta qué punto lo inventé? Amnésico como estoy, compréndanlo, las palabras por sí solas no bastan... Mi profesión, en este caso, es un obstáculo... Ahora bien –continué tras una pausa–, estoy convencido, señores, de que el párrafo de mi libreta es real. Quiero decir... Las frases son muy... El empleo de los verbos... ¡Bueno, cualquier lector opinaría lo mismo que yo, créanme! Por otra parte, ni mi cuartilla ni la del señor Fárrago pueden considerarse pruebas terminantes de que esa mujer no estuvo aquí: son textos que admiten muchas interpretaciones... ¡De hecho, ni Fárrago ni yo nos ponemos de acuerdo sobre ellos!

Concluí pidiendo disculpas por las molestias ocasionadas. Al finalizar percibí que el silencio contenía un matiz de piedad. Gaspar Parra, digno, tomó las riendas de la réplica.

–Se ha explicado usted con prístina claridad, señor Cabo. Pero, por lo que he podido escuchar, y disculpe si le llevo la contraria, los textos declaran abiertamente que la mesa estuvo vacía toda la...

–Yo no escribí eso –terció Fárrago, desabrido–. ¡Alguien ha imitado mi letra!

Parte del público le concedió el beneficio de la duda. ¿Hasta qué punto se hallaban seguras las obras de los clientes? ¿Se guardaban bajo llave? ¿Una mano negra, provista de las peores intenciones, podía dedicarse a sustituirlas o modificarlas por la noche? Se pergeñaba otra discusión. Felipe salió en paladina defensa del negocio: la habitación de los cuadernos era intocable; la virtud de los camareros, probada. Pero, aun así...

Entonces Parra soltó su voz como quien se deshace de la última ficha de dominó.

–Caballeros, hagamos algo. Si no he entendido mal, el problema consiste en saber si hubo una mujer sentada en la mesa 15 la noche del 13 de abril. –Varias cabezas asintieron–. Antes que nada, aclaremos un punto. ¿El señor Cabo pudo equivocarse de mesa? ¿Pudo ser la 14 o la 18?

Expliqué que mi párrafo decía: «Ella ocupa una mesa solitaria *frente a la mía*». Indiqué el lugar donde se suponía que yo había estado. Mencioné la prueba de los laureles. La única posibilidad, coincidieron todos, era la 15. Felipe intervino entonces para señalar que no existían resguardos de factura ni cuartillas pertenecientes a la mesa 15 en la noche indicada: lo había comprobado un momento antes. Sólo los textos y la memoria podían despejar la incógnita, y como quedaba claro que nadie recordaba a aquella misteriosa mujer, los textos se convertían en la prueba decisiva.

–Muy bien –dijo Parra y comenzó a pasear

frente al público, como un profesor célebre dictando una clase–. El señor Cabo ha dicho una frase muy inteligente: «Soy escritor, y por lo tanto no puedo fiarme de lo que escribo». Le doy la razón. Por otra parte, el señor Fárrago, aunque no es profesional, también puede ser considerado una pluma ilustre. La posibilidad de que ambos párrafos sean simple literatura... Por favor, Modesto, no me interrumpas... Digo que la posibilidad de que sean ejercicios literarios es muy grande, porque sus autores son expertos en la materia. Pero yo, amigos, sólo soy un pobre aprendiz que pretende distraerse... –Se detuvo y sonrió–. Por otra parte, sabido es que las mujeres no se me pasan desapercibidas... –Hubo risas, pero Parra fruncía el ceño–. Debo aclarar, no obstante, que mis escritos son un entretenimiento artístico... Me considero devoto admirador de la figura femenina: éste es mi único vicio...

–Y un huevo. –sonó la voz de carraca de Modesto. Silbidos indignados lo mandaron callar. Era evidente que el público había perdonado a Parra a costa de sentenciar al anciano.

–Propongo leer mi descripción de la mesa 15 –continuó el orador sin inmutarse–. Porque yo estuve aquí esa noche, y puedo asegurarles que, si hubo una mujer en la mesa indicada, yo no la habré transformado literariamente en adorno o en mueble... –Nuevas carcajadas. Parra me señaló–. Pero todo depende del señor Cabo. –Y se volvió hacia mí sin descolgar la sonrisa–. ¿Le importaría, señor Cabo, que yo leyera mi texto? En otras palabras, ¿ofendería su sensibilidad escuchar una descripción... digamos, un tanto *estética* de esa mujer?

Los rostros, como girasoles, buscaron el mío. Hubo un silencio.

—No, no —dije—. Claro que no.

Parra dio instrucciones. Un camarero salió y regresó casi enseguida. Los murmullos se extinguieron como la luz del atardecer en un cementerio. Fárrago, a mi lado, susurraba:

—No deje que lea nada. Disfruta con eso, ahí donde lo ve. ¡Es un vicioso!

Yo me golpeaba la nariz con el pulgar.

—¡No sólo las desnuda: abusa de ellas! ¡No le permita leer, por lo que más quiera!

La expectación era enorme. Pensé en un mundo de muertos, un reino subterráneo con figuras pálidas y mudas —yo, la más blanca y silenciosa—. Parra abrió la carpeta que el camarero le había entregado y fue pasando las páginas. Se había colocado unas gafas de lectura tan escuálidas como él. El rumor del papel sonaba como el frufrú de un traje de novia en la noche de bodas. Alguien dijo, en voz alta: «Ya puestos, ¿por qué no lees todas las mesas?». Las carcajadas aliviaron la tensión, pero se me antojaron falsas. El silencio, que retornó de inmediato, parecía la única verdad. Las páginas seguían pasando, un poco más lentas que los segundos. En un momento dado, los dedos se equivocaron (habían cogido dos juntas), se dirigieron a la lengua para humedecerse, acariciaron el borde de las hojas y las separaron con terrible

54

delicadeza. La morosidad de Parra me exasperaba. «¡Lea lo que quiera, pero acabe de una vez!», pensaba. Súbitamente percibí que había llegado a la meta. Se detuvo. En su semblante no encontré indicios del texto que descifraba. Mi ruego se hizo más apremiante; también ligeramente distinto: «¡Lea lo que le dé la gana, sea obsceno si quiere, pero, por favor, dígame *que ella existe*!».

–«Alta. Blanca. Sinuosa» –recitó Parra y se detuvo un momento para mirarme–. «La silla de la mesa 15 es la más atractiva de todas. He pasado la noche entera contemplándola. Estaba vacía, pero repleta de fantasía».

Y cerró la carpeta de golpe. La pausa del asombro duró sólo un segundo. Entonces estalló la fusilería de las carcajadas. Parra enrojeció allí donde las burlas parecían acertarle.

–No recuerdo por qué escribí esta chorrada –decía entre el estrépito, con evidente malhumor–. ¡Supongo que estaba aburrido!

–¡Míralo! –murmuraba Modesto, más para sí mismo que para otros–. Fue él quien cambió mi párrafo, seguro... ¡El muy cabrón!...

Felipe se dirigió a los dos oponentes y declaró un amistoso empate. Modesto y Parra terminaron abrazándose, pero fue un abrazo de culebras. La gente regresó a los asientos; las servilletas se desplegaron; la música, como la nostalgia de un viejo, siguió hablando en voz baja. «Bien, todo acabó –pensé–. Ya es hora de que me vaya.» Felipe quiso invitarme a una copa. La rechacé y pedí la cuenta, pero dijo: «La cena la paga la casa, señor

Cabo. Su presencia nos honra». Y me entregó –«de recuerdo»– las tres cuartillas de la mesa 15. Modesto y Parra no habían puesto inconveniente en regalarme las suyas. «Para lo que me sirven ahora», pensé.

Cuando me marchaba volví a fijarme en el hombre de la cara fofa. No me perdía de vista. Yo parecía ser su «deporte favorito». Es curioso cuánto ofenden unos ojos quietos, cuánto paralizan y provocan. No conozco nada tan tenue que afecte tanto, con la posible excepción de un texto. En aquel caso, el individuo propietario de la mirada redactaba también un texto propio. Pero lo hacía a un ritmo especial. Yo caminaba, él escribía. Me detuve al pie de las escaleras y él detuvo su pluma. Pensé que no valía la pena perder más tiempo con aquel necio, de modo que subí al vestíbulo y me marché. En el taxi de regreso, fatigado por mi frustrada aventura, resumí los recuerdos inmediatos:

6. Una casa de locos: La Floresta Invisible. (Suceso)
6. Gaspar Parra: flaco, lascivo. (Persona)
7. El desconocido: cara fofa, me mira. (Persona)

Al llegar a casa, recibí la llamada. Era tarde y Ninfa se había acostado ya. Descolgué pensando que sería una equivocación.

–¿Señor Cabo? –Una voz triste y entristecedora, como un niño enfermo–. Señor Cabo, perdone que lo llame a estas horas. Encontré su número en la guía.

—¿Quién es?

—Soy poeta —dijo—. Firmo mis obras con el nombre de «Grisardo», y puede llamarme así, si desea. —«Ah, el tipo de la mesa 9», pensé—. No haga esfuerzos por recordarme: soy un poeta desconocido... Hum... Aunque quizá esto último sea una redundancia.

Grisardo era un adolescente dubitativo. Sembraba de «hums» sus lentas frases. Me contó que había estado en el restaurante y me había oído hablar. «Yo soy lo más invisible de La Floresta Invisible», bromeó. Y quiso demostrármelo explicándome que el encargado no le prohibía, como a los demás, llevarse sus cuartillas a casa. «Como escribo poesía, hacen la vista gorda. Porque la lírica no le interesa a nadie ya, ¿sabe?, excepto al jurado del Nobel y del Príncipe de Asturias... Hum... ¿Qué futuro nos espera?» «¿Y a mí qué me importa? —pensaba—. ¿Por qué me cuenta todo esto?»

Y de repente, como la fanfarria que anuncia la llegada del héroe:

—Lo cierto es que me las llevo a casa... y por eso nadie ha modificado las que escribí la noche del 13 de abril.

Me precipité al vacío, y el auricular, de pronto, era la única rama a la que podía aferrarme.

—¿Cómo dice?

—Hombre, está claro, ¿no?... Hum... Cuando usted leyó el párrafo de Modesto y el suyo... y después escuché el de Gaspar... Me di cuenta enseguida, porque soy poeta...

–¿De qué se dio cuenta?

–Los tres acaban en la misma frase... Como un estribillo...

Las cuartillas seguían en mi chaqueta, que estaba en el dormitorio. El teléfono era inalámbrico, así que corrí hacia allí mientras Grisardo hablaba. Me bastó una ojeada para comprobar que tenía razón (tú, lector, ya lo sabrías, porque lo habrás *leído*): «repleto de fantasía», decía el final de mi párrafo; «repleta de fantasía», decía el final de los otros dos.

–En mi opinión, los ha escrito la misma persona, y ésa es su firma... Hum... Lo que no comprendo es por qué lo ha hecho. ¿Qué se gana sustituyendo unas cuartillas por otras?

«*Suprimir* las que hablaban de esa mujer», pensé.

–¿Y usted? –pregunté con un hilo de voz–. ¿Escribió algo sobre la mesa 15?

–Claro que sí.

Hubo una pausa de «hums». Durante ella me convertí en piedra. El teléfono se hallaba empastado en mi oreja de cemento. Sólo Grisardo podía liberarme si pronunciaba las palabras exactas. Y he aquí que el bendito poeta las pronunció.

–Usted tenía razón: había una mujer en la mesa 15. Yo le dediqué un poema.

V
LO QUE ESCRIBIÓ GRISARDO

Luces, cristales, penumbra, quietud, recuerdos como fantasmas o como fotos con flas: el universo del insomnio es complejo y literario. Apostaría, lector, a que me abordas en la tensa placidez de tu dormitorio durante una noche sin sueño, quizá para cogerlo, quizá para postergarlo. El ocio actual es nocturno; ahora las musas son lechuzas. Cines, exposiciones, dramas, ballets, libros, sexo, fantasía... ¿Qué otras horas, si no las lunares, nos reserva esta diurna sociedad para practicarlo todo? Cultura, placer y bostezos se han hecho, por fin, inseparables. Recuerdo mi batalla sobre la almohada aquella noche, después de que Grisardo telefoneara. Pero luchar contra el insomnio es perder de antemano, porque nadie puede dormirse luchando. Harto de espiar el camuflaje de sombras de las paredes, me levanté y fui al despacho. Trabajé durante el resto de la oscuridad que quedaba. El texto fue apareciendo a golpe de tecla en la luminosa ventana del ordenador. Hablé de *ella*, del poema que Grisardo aseguraba haberle dedicado, del supuesto falsificador de cuartillas del restaurante (¿sería el encargado?, ¿o el tipo de la cara fofa?) y de los oscuros motivos que habría podido tener para suprimir los párrafos que se referían a la mesa 15. Me pregunté muchos porqués a los que apenas supe dar respuesta. Concluí que no, que no estaba enamorado (¿de qué iba a estarlo?, ¿de una espalda y un moño?). Que entre una mujer desconocida y la soledad, prefería esta última. Que lo mío era sólo *intriga*. Naturalmente, fue entonces cuando me dormí.

Ninfa me rescató a la mañana siguiente, viernes 23 de abril, soleado y azul 23 de abril, sombrío e inolvidable 23 de abril, cuando entró en el despacho con el correo.

–Ay señor, que se ha dormido escribiendo.

En efecto, la mejilla derecha me dolía. Palpé huellas de diminutas lápidas alfabéticas en la piel del rostro. El ordenador seguía encendido y yo me había dormido de bruces sobre el teclado. En la pantalla se hallaba el absurdo resultado de mis cabeceos (lo archivé como curiosidad):

riebn5en9tnt9n9trny9ymy0my0my0yeYOELLAr eyo<<pr<entotetwb ieiteetntiti te.zwrywe tELLA-YOnoxosodozsozdndeooood09ntrtaret`rtrtràtndoniwu4+,tl9nop,.tli5.Pot5ea4nayr,pyr,pry,pryr,YO-ELLAeuoeuiwimabryononaormotrELLAYOnory moyrnmyroyor

¿El guión de mi inconsciente? ¿Un simple desatino de mis pómulos y la gravedad? ¿Cómo podía definirse aquello? Fuera lo que fuese, razoné que era un texto tan válido como cualquier otro. Había «salido» directamente de mi cabeza, sin el auxilio de la inspiración o la experiencia, sin la falacia de la gramática, siquiera sin el concurso útil pero equívoco de las manos. Aquél era el párrafo más sincero, más intensamente personal que podía producir un escritor, pensé. Un psicoanalista tendría un orgasmo leyéndolo. Y quién sabe si un Joyce no tendría otro plagiándolo. Pero mi desaforada percepción quiso encontrar orden en el misterioso revoltijo, y señalé conjuntos (en el texto que he reproducido van en mayúsculas) que convenían a mi hipótesis. ELLAYO. YOELLA. Deduje que el azar del sueño lo atestiguaba: estábamos indisolublemente unidos, ella y yo, yo y ella.

Durante el tardío desayuno:

–Ay señor, se me olvidaba. El señor Salmerón llamó dos veces anoche. Le dije que usted había salido a cenar y me dijo que volvería a llamar hoy.

Consulté la hora y decidí que lo más urgente en aquel momento era acudir a la cita con el joven Grisardo. Nuestra conversación telefónica había terminado así: yo deseaba conocer el poema y él me había invitado a su casa aquella mañana. Pedí a Ninfa que me excusara ante Salmerón si volvía a llamar. «Dígale que sigo durmiendo. O que he tenido que ausentarme.» Pensé que si mi criada aducía ambas explicaciones estaría diciendo la exacta verdad, porque me sentía, a la vez, ausente y dormido, dormido y ausente. En el taxi, azotaba mi nariz con el pulgar mientras hacía temblar la pierna derecha. La impaciencia por conocer el poema me devoraba. ELLAYO. YOELLA. Y después, aquellos extraños celos... ¿Literarios? ¿Amorosos? No lo sabía, pero me irritaba imaginar a Grisardo inspirándose en ella al mismo tiempo que yo. El poeta y el novelista, interesados en la misma dama. Pero era el poeta quien la recordaba. Era el poeta quien la ensalzaba. El poeta había descubierto al falsificador de cuartillas. Si YO encontraba a ELLA alguna vez, sería –no podía dejar de pensarlo– gracias al poeta.

La zona era la de Malasaña, en una calle donde la basura y los escombros competían por la supervivencia. Deduje el portal por eliminación, ya que el número estaba borrado. Cuando me disponía a entrar, un anciano de pelo blanco alborotado apareció en el umbral. Nos dimos los buenos días. «¿A quién busca?», preguntó. Y cuando se lo dije:

–Ah, usted debe de ser Juan Cabo.

Asentí, sorprendido. El viejo me miró fijamente y me pasó una mano por el hombro, invitándome a acompañarlo. Olía a naftalina. Me dijo que se llamaba Eustaquio Cuadrado y era vecino de Grisardo. Se dirigía a un bar cercano a jugar al dominó. Añadió:

–Tengo que darle una mala noticia.

Me lo explicó por el camino. Todo había sucedido aquella misma mañana. Ya se habían marchado los últimos testigos de la tragedia: la ambulancia, el forense, la policía y el juez. Grisardo había elegido un libro para suicidarse. Lo cortó por la mitad, para que le cupiese en la boca, y lo deglutió con fúnebre paciencia, mascando y empujando con los dedos hasta que las páginas rebasaron la úvula y lo ahogaron entre una explosión de náuseas. Dejó una nota manuscrita confesando sus intenciones. Tuvo la precaución de llamar a la policía para que vinieran a recoger su cadáver: no quería molestar al vecindario con un hedor demorado. Siempre había sido muy cuidadoso. Incluso se preocupó de suministrar, en nota aparte, información bibliográfica sobre el libro en cuestión: título, año de edición, autor. Yo había estado escuchando al viejo con el sentimiento de incrédulo horror que cabe suponer, pero al llegar a este punto no pude evitar pensar que acaso se trataba de una de mis obras. Supongo que debe considerarse la reacción típica de cualquier novelista: nos duele que el libro mencionado no sea nuestro. Pero era –dijo Eustaquio– un breve ensayo titulado *La ilusión*, de un filósofo cuyo nombre no recordaba. Quizá Grisardo lo había escogido por la brevedad, ya que así podía partirlo más fácilmente. O quizá había querido elaborar con el título un triste juego de palabras o una parábola, vaya usted a saber.

–Pero ¿por qué? –pregunté, estremecido–. ¿Por qué lo ha hecho? Yo hablé con él ayer y...

–Estaba harto de ser ignorado, el pobre chaval

–sentenció Cuadrado–. Vino a Madrid para intentar abrirse camino en esto de la literatura, pero... Llevaba meses sin colar un solo poema en las revistas. Aunque, no crea, vivía desahogadamente... De vez en cuando, incluso, se permitía el lujo de cenar en La Floresta... Vamos, que no me parece que lo haya hecho por problemas económicos, usted me entiende... Además, el día que eligió lo dice todo...

Yo no comprendía. Eustaquio enarcó las blancas cejas.

–¡Hombre, hoy es 23 de abril, día del libro! Yo creo que era su obsesión: estar dentro de un libro, fuera como fuese. Y como no pudo conseguirlo, hizo lo contrario: se metió un libro dentro. ¿No cree que mi explicación es lógica?

Asentí, intentando no imaginar a Grisardo (a quien apenas había vislumbrado en su oscura mesa del restaurante) con la cabeza torcida sobre el respaldo de una silla y un embudo de hojas cortadas floreciéndole de la boca, tiesas por los vómitos. Habíamos llegado al bar. El viejo sacó una carta del bolsillo.

–Fíjese si era cuidadoso: deslizó este sobre por debajo de mi puerta a primera hora de la mañana. Pobre muchacho. Lea la nota, léala.

Era un pequeño papel adosado al sobre con un clip. Letra diminuta pero muy correcta. «Eustaquio, hazme un favor. Hoy al mediodía vendrá un señor a verme. Se llama Juan Cabo. Le prometí dejarle una copia de uno de mis poemas, pero me temo que no podré recibirle, así que la guardaré en este sobre. Si lo ves, entrégaselo. Muchas gracias.»

–Pobre chico. –Eustaquio meneaba la cabeza–. Ya ve usted, yo cogí el sobre como si tal cosa, acostumbrado a hacerle pequeños favores... ¡Pero quién iba a decirme que...!

Nos estrechamos la mano al despedirnos. Me quedé quieto en la calle, bajo el sol fresco de abril. Mis dedos temblaban al rasgar la solapa. En aquel momento hubiera colocado flores sobre la tumba de Grisardo. De haber podido, habría rescatado su sombra del mundo subterráneo. Cuánto me apenaba pensar en su juventud (18 años, según Eustaquio), tronchada prematuramente, rimbaudianamente. «Y ni siquiera será inmortal después de muerto», me lamentaba, porque la época en que la temprana desaparición de un poeta aseguraba su perennidad había pasado ya. Por el contrario, ahora los vates se aferraban a la vida con toda la furia de una vejez dilatada. Pero el pobre Grisardo... ¡Y aun así, había tenido la consideración de legarme aquel poema, el primer testimonio cierto de la existencia de *ella*!

Seis versos manuscritos. La letra parecía un grano de trigo raspinegro, aristada, minúscula. Lo leí de un tirón.

Mesa 15

Oh dulce y tierna
rama de laurel:
tinta y tijera
te han producido.

Dulce y lejana
hoja de laurel,

repleta de fantasía.

«Está clarísimo», pensé de inmediato. «Es *ella*. Aquí está. *Dulce y tierna rama de laurel*... Lo que ocurre es que el poema es como *L'infinito* de Leopardi, hermético, conciso, innovador...» Pero volví a leerlo y perdí el optimismo. Recordé que el adorno de la mesa 15 eran, realmente, ramas de laurel. «Tinta y tijera / te han producido»: este dístico lo decidía todo. Se refería, claro, a la confección de las ramas. No había ningún secreto oculto. Mi cerebro acalló las protestas de mi corazón. Ella no estaba. Se trataba de una oda (mediocre, por otra parte) al adorno del centro de mesa. Sin embargo, Grisardo me había dicho que lo había escrito por *ella*, lo cual parecía irrebatible. ¿Quién sabe qué clase de obra puede inspirar una mujer hermosa en la mente de un artista? A Picasso, por ejemplo, le daba por dibujar monstruos cúbicos. Me aferré a esta última posibilidad y... ¡Sí, sí, lector, no te impacientes, ya sé que eres muy perspicaz! Te estabas preguntando: «¿No se ha dado cuenta? ¿No lo va a mencionar?». Pero es que escribir no es leer: tú lees en un solo acto, a la velocidad pupilar, y el misterio y la evidencia saltan hacia tus ojos (como saltaron hacia los míos en aquel momento). Pero escribir precisa de un orden. Y ha llegado el instante (artificial, si se quiere) de que añada:

De repente reparé en el último verso.

Llegué a casa en un estado parecido al trance hipnótico. Ninfa había previsto mi hambre y me había dejado el almuerzo caliente en el horno. Comí en la cocina, pero apenas probé dos cucharadas de consomé y dos bocados de carne con puré de guisantes. No toqué el postre, que era fruta. En la libreta, como séptimo «Suceso», sólo florecieron tres palabras en escuálida letra:

7. Soledad, vacío, depresión.

Fui al dormitorio, me desvestí y me duché. Cuando el agua caliente se derramó por mi cabeza y goteó sobre el laberinto de mi barba recobré la facultad de razonar. Y de inmediato me sentí infeliz. Mucho más tranquilo pero infeliz. Después me vestí con una bata japonesa y me serví un whisky. En el espejo me contemplaba un individuo bajito, flaco y pálido, embozado por las húmedas sortijas de una barba postiza y vestido con una bata japonesa. Mi fealdad, decidí, era sartriana, existencialista. Amnésico como estaba, desprovisto de pasado, mi fealdad era mi ser-en-el-mundo. Quizá también Grisardo había sido feo. Acaso todos los escritores éramos feos.

–Puede que sea deformación profesional –dije en voz alta.

Tantas horas encorvados ante la máquina o el ordenador, tantos días de oscuridad y silencio... «Y, claro, nos volvemos feos. O es la soledad la afeadora. O al contrario: escribimos porque somos solitarios y feos.» Bebí un sorbo de whisky y salí a la terraza del dormitorio. Las agujas de los pinos destellaban como estilográficas. La nieve privada de los almendros semejaba papel roto. Un moscardón tecleaba contra el cristal de la ventana; era feísimo; parecía escritor.

Me senté en una silla plegable y bebí el whisky a sorbos lentos. Aunque la temperatura de la tarde era ideal, yo sentía escalofríos.

«¿Por qué ponernos nerviosos?–pensé–. Quizá este asunto tenga una solución muy fácil. Puede que no haya ningún misterio real y que todo sea imaginación mía.»

«El problema –reflexioné–, consiste en saber qué es escribir.»

Porque si la literatura era incognoscible, entonces tanto daba todo lo demás. Si escribir carecía de normas, definiciones y categorías, a diferencia del arte, la ciencia, los mapas, los estados de ánimo, las religiones, los más allás, los ateísmos o los dioses; si era más inefable que el amor, el tiempo, la muerte o Dios (porque lo único que sabemos acerca de estas cuatro cosas es lo que otros han escrito sobre ellas), entonces qué importancia tenía leer. La mujer de mi párrafo, por ejemplo, sería banal: yo podía haberla visto en cualquier otro sitio, o hace años, o en un sueño. O bien –lo peor– ella existía pero el resto era ficticio: no vestía de negro, ni tenía moño, ni yo me había enamorado. Si escribir era una actividad caótica, el hecho de que alguien hubiera imitado varias letras y falsificado las cuartillas del restaurante perdía todo significado. Qué importancia puede tener un texto falso cuando el original es, como mínimo, tan ficticio como el espurio. Y mi último y escalofriante hallazgo –que Grisardo hubiera finalizado su poema con *la misma expresión* de las cuartillas, la «firma» del misterioso falsificador: *repleta de fantasía*– tampoco importaba demasiado. Dime, lector, si escribir carece de orientación, de brújula, de sentido, ¿apostarías por mi existencia? Cómo haré para convencerte de que soy real y de que esto que estás leyendo me sucedió realmente. Tanto daría que pensaras que es una novela. Y quizá se publique como tal.

Pero si la literatura, como el mar Rojo, podía dividirse (o definirse, que también es dividir), a un lado la fantasía y al otro la realidad, en un extremo lo imposible y en otro la certidumbre, entonces mi temor tenía fundamento. La existencia de un desconocido que había sustituido los textos que hablaban de cierta persona con párrafos firmados con la misma frase resultaba, cuando menos, inquietante, casi ominosa. Y el poema de Grisardo se tornaba tan enigmático como su suicidio.

Si escribir era tan real como tener miedo, yo iba a necesitar ayuda. Pero ¿de quién? ¿Resolvería la policía mis problemas literarios?

8. Grisardo: joven, nunca lo conocí.
9. Juan Cabo: ficticio.

Anoté esta última «Persona» con menos humor del que puede suponerse, inspirado por mi imagen en el espejo, sobrecogido por un súbito espectro de irrealidad. Y en ese instante –serían las 7 de la tarde– sonó el teléfono en mi dormitorio.

–¡Cómo estás, hijo! –Era la voz del «ciego poderoso», Salmerón–. Te llamé anoche, pero te habías ido de farra... ¡Ah, un pajarito me ha dicho que has empezado una nueva novela! –Me disponía a desmentirlo cuando añadió–: Según creo, trata de una mujer desaparecida...

«Una mujer desaparecida». El absurdo de la confusión me produjo vértigo. Supuse que el «pajarito» pertenecía a La Floresta, pero el equívoco resultaba nauseabundo. Y acaso no había sido involuntario, porque yo había comenzado mi discurso del restaurante diciendo: «Busco a una mujer» y no: «Voy a hablarles del tema de mi próxima novela». Sin embargo –razoné con rapidez–, explicárselo a mi editor equivaldría a contarle mis sospechas, a confesarle mis temores, y no me atrevía. Pese a no haberlo visto aún, su voz seguía intimidándome un poco. Opté por mentir diciéndole la verdad.

–Sí, una mujer desaparecida: ése es el tema que me obsesiona.

–¡Muy bien, hijo, muy bien! ¡Tiene garra!... ¡Cuánto me alegro de que te hayas puesto a trabajar tan pronto! ¿Sigues sin recordar nada?... ¡Bueno, no lo mires por el lado malo! ¡Para el pasado siempre hay tiempo! ¡Es el futuro lo que debería preocuparnos!... ¡Siglo XXI, el nuevo milenio! ¡No podemos quedarnos atrás!... Precisamente te llamaba por lo del domingo. Supongo que podrás asistir, ¿no? –Yo lo había olvidado por completo:

la presentación de la nueva colección en el Parque Ferial. Salmerón proseguía, entusiasmado–. ¡Nosotros también celebramos el Día del Libro, hijo!... ¡Libros y rosas! ¡Libros y bombones!... Me entraron náuseas y tuve que apartarme del auricular para no escucharlo. Si alguien me hubiera dicho en aquel momento una de esas frases tópicas –«es un libro delicioso, me lo he devorado», «no he podido tragarme ese tocho de novela»–, habría vomitado sin apelación sobre mi bata japonesa. Me preguntó qué opinaba acerca del anuncio de la presentación. Le dije que no lo había visto. «¡Cómo! ¿No has mirado tu correspondencia? ¡Está en la revista! Debes de haberla recibido hoy. ¿Por qué no lo compruebas?» Bajé con el teléfono en la mano y entré en el despacho. Recordaba que Ninfa había dejado el correo de la mañana sobre la mesa. En efecto, allí estaba la revista de Salmacis, envuelta en plástico. «Mira en la contraportada», pidió Salmerón.

El anuncio ocupaba la mitad de la página: un ojo ciclópeo, dotado de extremidades, sentado a una mesa llena de papeles; en la mano sostenía una pluma de ave. Lo rodeaban dibujos del Madrid clásico: Cibeles, Puerta de Alcalá, Neptuno, pero también estampas modernas como las torres Kío, la de Picasso o el Pirulí. Era como si el ojo estuviera pensando en todo eso mientras escribía. El encabezamiento rezaba: «LA LITERATURA DEL NUEVO MILENIO». Y debajo, en enormes versalitas negras: «MADRID EN TIEMPO REAL». Se trataba, explicó Salmerón, de la gran apuesta de la edi-

71

torial: decenas de pequeños libros escritos por decenas de pequeños autores y publicados con suma rapidez, que narraban las distintas observaciones realizadas en Madrid durante un día concreto, en tiempos simultáneos y desde múltiples lugares y puntos de vista. Algo parecido a echarle un vistazo omnisciente a toda la ciudad. Salmerón quería levantar otro Madrid con billones de palabras.

–Soy ciego, hijo, y no tengo otra forma de verlo, a mi Madrid, a mi amado Madrid. ¡Si no me lo leen, no lo veré nunca! –Y tras esta confesión se echó a reír, como si su ceguera fuese una broma estupenda.

–¿Te gusta nuestro reclamo publicitario? –preguntó–. ¡Ya sabes que para los asuntos visuales necesito opiniones ajenas!

Le dije (reprimiendo un bostezo) que me parecía impresionante.

Entonces lo vi.

Salmerón seguía hablando, pero yo ya no lo escuchaba. Mi atención se había detenido en un rectángulo amarillo en el extremo inferior derecho de la página. Era otro anuncio, mucho más modesto que el de Salmacis. Nada de dibujos, sólo palabras, pero éstas se leían con claridad.

HORACIO NIERS
INVESTIGADOR PRIVADO
CRÍTICO LITERARIO
Ayudo a los escritores

Salmerón se despedía.

—¡Y procura encontrarla, hijo!

—¿Qué? ¿A quién?

—¡Tu novela! ¡La novela que buscas y que yace oculta dentro de ti! ¡Encuéntrala!

VI
HORACIO NEIRS,
INVESTIGACIÓN Y CRÍTICA

–Y ahora, señor Cabo, dígame, con entera confianza, en qué puedo ayudarle.

Distinguido, aristocrático, Horacio Neirs me obsequió con un cigarrillo de su pitillera de plata. Aparentaba unos 60 años –lo cual me sorprendió; lo esperaba mucho más joven– y su conjunto de camisa y traje negros, su estilizada figura y el imprevisto brote de cabellos blancos que la remataba le otorgaban el aspecto preciso de una pluma Montblanc con el capuchón puesto. En cuanto a Virgilio Torrent –que Neirs me había presentado como su «ayudante»– podía ser el tintero. Era un enano –tal como lo digo: un enano– de unos 30 años, rasgos pálidos y mirada glacial y potente como un pisapapeles de cuarzo. Vestía íntegramente de negro, como Neirs, y sus piececitos, calzados con costosos zapatos italianos que parecían de primera comunión, apenas llegaban a la mitad de la altura del sofá donde se hallaba sentado.

Había sido él quien me había recibido, extraño y solemne como requería el lugar, aquella mañana del sábado 24 de abril. Yo había imaginado un pequeño despacho, quejumbrosos muebles de madera, oscuridad; pero las oficinas de Neirs ocupaban todo un ático de la Castellana, zona de Azca, y destellaban de aristas y cristal. Al salir del ascensor, enormes puertas transparentes –donde podía leerse «Horacio Neirs. Investigación y Crítica»– se descorrían silenciosas al presionar un timbre. Más allá, el vestíbulo parecía hecho de nieve. Después comprobé que las habitaciones interiores poseían el mismo aspecto: alfombras, cuadros, moquetas, paredes, lámparas, sillones, divanes, mesas y hasta plantas eran de un cegador color blanco. Lo que no era blanco era cristalino: ceniceros, esculturas y puertas. Me sentí como penetrando en la esclerótica de un ojo humano. Un instante después de pulsar el timbre, mientras los paneles correderos se apartaban en silencio, apareció Virgilio como una mota de carbón en la delicada córnea de aquel decorado, con su traje negro, su aspecto tosco, su mirada inclemente.

–Buenos días, señor Cabo. El señor Neirs ya tiene constancia de su llegada y lo atenderá lo antes posible. Sírvase esperar aquí, por favor.

Así habló, créanme: «El señor Neirs ya tiene constancia». Su voz, urdida de agudos y graves, parecía el arte de un ventrílocuo oculto. Me abandonó en un sofá que poseía el color terso de los folios nuevos. Desde algún rincón de aquel globo ocular un hilo musical inició una pieza de clavicémbalo. Estuve 25 minutos esperando. Ni se me ocurrió quejarme, por supuesto: era sábado, y sabía que Horacio Neirs había hecho una excepción en su horario laboral (así me lo dijo cuando lo llamé el viernes por la noche) para atender mi caso. Exactamente 25 minutos después, con el clavicémbalo enmudecido, regresó el enano en completo silencio.

–El señor Neirs lo invita a pasar a su despacho.

Lo acompañé a través de misteriosos pasillos lácteos. Digo «misteriosos» porque me pareció que caminábamos en círculo durante un buen rato, y, sin embargo, advertí bifurcaciones. Como guía nada había que reprocharle a Virgilio, pero como conversador dejaba mucho que desear: mis comentarios (improvisados para amortiguar el vértigo que sentía ante aquel dédalo de blancura) me fueron devueltos con hoscos monosílabos. Sólo cuando declaré mi asombro ante la soledad de las complejas oficinas obtuve el regalo de una frase completa: «El señor Neirs tiene muchos colaboradores, pero es que hoy es sábado». Parecía acusarme de que su jefe lo hubiera elegido precisamente a él para trabajar esa mañana. Mientras nos acercábamos a unas puertas dobles que se atisbaban al fondo del pasillo volvió a hablar:

–Usted publica en Salmacis, ¿no? –Y, sin esperar ninguna clase de respuesta–: Eduardo Salmerón es el editor MÁS grande de Europa, MÁS poderoso, MÁS influyente, MÁS temible. Tiene usted la MAYOR suerte del mundo por ser uno de sus protegidos.

Después comprobé que Virgilio –debido, quizá, a problemas de estatura– era adicto a los superlativos. Los soltaba con seca energía, como si constituyeran su secreta forma de crecer. Pero no dejé de apreciar la sutil indirecta: pretendía decirme que mi editor, y no yo, había sido la causa de que Neirs me recibiera en fin de semana.

–¡Se cuentan MUCHAS cosas sobre Salmerón! ¿Usted cree que son ciertas?

Contesté que no sabía qué era lo que se contaba. Y Virgilio:

–¡No me diga que no ha oído los rumores!... Que pretende editar la novela MÁS grande del siglo... ¿No ha oído nada de eso? –Me disculpé por mi ignorancia (en realidad, mi amnesia, pero esto no se lo dije) y el enano, con un encogimiento de hombros, volvió a sumirse en el silencio.

Habíamos llegado a las puertas y mi guía alzó el puñito izquierdo para llamar. Un inesperado Rolex de oro destacó en su muñeca infantil como el superlativo de un reloj de pulsera. No por primera vez pensé que aquello de la investigación y crítica, fuera lo que fuese, no era mal negocio. Mientras pasábamos al despacho, sonrió:

–Yo también escribo. Pero no he tenido la GRAN suerte de que Salmerón me acoja.

Horacio Neirs era un hombre de definitiva presencia. Producía la impresión de una frase de Flaubert: inmejorable, refinado, conciso, muy pulido. Me tendió una mano flaca y enérgica a través del inmenso escritorio y me convidó, con modales exquisitos, a sentarme en una butaca blanca giratoria (Virgilio escaló el sofá tras cerrar las puertas). Tuvo la delicadeza de inaugurar el diálogo: comenzó hablando de mis novelas; sabía lo de mi accidente, pero no lo de mi amnesia. Pasamos 15 minutos fumando y charlando. Cuando pensé que había llegado el momento de entrar en materia y me disponía a sacar los papeles de mi carpeta, Neirs inició una larga presentación de sí mismo y de su trabajo. No era tan extraño, dijo, ser detective y crítico literario. Hoy día casi todo el mundo escribe, y ello provoca (empleó el símil de la tela de araña) una asombrosa urdimbre de ficciones, temas, personajes, incluso frases y hasta neologismos en la que se hacía imprescindible la presencia de expertos como él. El plagio, el problema más común de su clientela, se convertía en la investigación de un sueño. En ocasiones resultaba tan difícil de demostrar como admitir la igualdad entre dos recuerdos lejanos. Tenía anécdotas, pero no quería perder el tiempo contándomelas. Me contagió la ilusión por su trabajo. Sospeché que había recibido lecciones de oratoria, porque sus manos ilustraban sin exagerar, con gestos cabales, las frases necesarias. Sus ademanes huían de lo prosaico y se ceñían a lo prosódico. Transcurrió media hora (la exacta distribución del tiempo era otra de sus virtudes), tras la cual, con admirable habilidad, puso punto y aparte y me cedió el turno. «Y ahora, señor Cabo, dígame...» Volvió a ofrecerme cigarrillos. Eran finos y blancos, de una marca inglesa, pero muy cortos. Me hacían pensar en los guiones de los diálogos.

En el cenicero había dos cigarrillos apagados. En la mesa, tres cuartillas, un folio y una libreta. Yo lo había contado todo en menos de una hora. Neirs inspeccionó su níveo peinado y entrelazó los largos dedos.

–Un caso muy interesante, desde luego. Supongo que usted tendrá una teoría al respecto, ¿no?

Me enderecé en el asiento, frente a la pálida efigie de Neirs. Con el rabillo del ojo espié a su diminuto ayudante (que se entretenía en lanzar y recoger una moneda usando una sola mano).

–Creo que alguien, por la causa que sea –dije–, ha suprimido los textos originales de la mesa 15 y los ha sustituido por párrafos absurdos que terminan con la misma frase. La falsificación hubiera pasado desapercibida, probablemente, de no haberse dado la circunstancia de que yo anoté en mi libreta una breve descripción de la mujer que ocupó esa mesa.

–¿Y el poeta? –Horacio Neirs señaló la copia de los versos de Grisardo. Su tono era el de quien pregunta a un maestro hábil y brillante cómo encajar la última pieza de un complejo rompecabezas.

–Lo de Grisardo es más inquietante. Ya le expliqué que la noche anterior me dijo que todos los párrafos acababan de la misma forma, pero que su poema no había sido modificado. Al día siguiente me entero de que se ha suicidado y de

que el supuesto poema termina igual que los párrafos. ¿Usted qué pensaría?

–Una curiosa coincidencia, ¿no?

–¿Coincidencia?

–¿No cree usted lo mismo?

–¿Y usted?

Me pareció que jugábamos al tenis con la única respuesta posible, y que ninguno de los dos se
atrevía a expresarla. Al fin, Virgilio actuó de reco-
gepelotas:

–Vamos, vamos, Horacio: el señor Cabo lo está
diciendo MUY claro, lo MÁS claro posible. El misterioso falsificador averiguó demasiado tarde que
el poeta también mencionaba a la mujer, y decidió
suprimir texto y autor de un solo golpe. ¿No es
eso lo que usted cree? –me preguntó, haciendo
malabarismos con la moneda.

Sí, eso era lo que yo creía (y temía). Neirs se re-
pantigó en el asiento anatómico; sus largos dedos
palparon el impecable peinado.

–Desde luego –dijo–, si yo leyera una novela
con un argumento como éste, no podría dejarla
hasta el final.

–¿A qué se refiere? –Me irrité.

–No se ofenda, señor Cabo, pero... ¿En qué se
basa su impresionante teoría? –Abrió las manos y
señaló los papeles–. En cuatro pequeños párrafos
y un poema no menos breve.

–En tres párrafos y un poema que terminan de
la misma forma –repliqué–, y en un párrafo escrito de mi puño y letra que describe con absoluto
realismo la verdad.

–¿La verdad? –Enarcó las cejas Neirs, como dos tildes–. ¿Con absoluto realismo?

–«Me he enamorado de una mujer desconocida... Escribo esto mientras ceno en... Ella ocupa una mesa solitaria frente a la mía...» ¿Es que no lo ve? El empleo de los verbos en presente, la urgencia de la situación... ¡Por Dios! ¿Es que no lo ve? ¡Estoy describiendo la realidad!... ¡Y lo hacía mientras miraba algo que había *frente a mí*!... ¿Qué más pruebas quiere?

–Que recupere la memoria –repuso Neirs suavemente.

–¿Qué?

–Que logre recordar cuándo y por qué escribió eso, señor Cabo. Ésa sería la única prueba posible. Mientras tanto, tendremos que considerar el texto de la libreta tan ficticio como los demás.

Detuve el incesante temblor de mi pierna derecha.

–¡Oiga, puede que haya perdido la memoria, pero soy escritor y sé lo que me digo!... ¡El realismo de ese párrafo salta a la vista!... ¡Cualquier lector se lo creería!...

–No, al contrario: precisamente *ningún* lector se lo creería. O quizá sí. Todo depende de la solapa. Pero, por desgracia, ninguno de sus textos tiene solapa.

–¿A qué se refiere?

Neirs y su ayudante intercambiaron sonrisas como si estuvieran decidiendo quién debía explicármelo primero. Comenzó Neirs:

–Nosotros llamamos «solapa» a la información

sobre un texto que se encuentra *fuera* del mismo: una nota a pie de página, la solapa de un libro, la declaración de un testigo fiable, etcétera. Sin ella, *nada* de lo que se escribe, desde una simple lista de la compra hasta una enciclopedia, tiene valor por sí mismo. Piense, por ejemplo, en un libro cualquiera. La solapa nos habla del autor y de la clase de obra que ha creado. En ocasiones, hasta encontramos una breve sinopsis del argumento. De esta forma sabemos si vamos a leer una novela, un ensayo, un texto científico o una autobiografía, y nos preparamos para valorar las diversas lecturas. Si la solapa dice «novela», esperamos que nos entretenga pero no confiamos en conocer la vida del autor; otra cosa sería si dijera «autobiografía», ¿comprende? La mayoría de la gente ignora que la verdadera lectura de un libro se hace a través de la *solapa*. Sin ella, el texto resulta incomprensible. Podrá ser más o menos bello, pero ahí acaba todo.

–Escribir carece de significado –acotó Virgilio–. Es la solapa lo que le otorga un sentido u otro. ¡La solapa es MÁS, MUCHÍSIMO MÁS importante que el libro!

–Le pondré otro ejemplo para que se percate de esa importancia –prosiguió Neirs–. Sabemos que la Biblia pretende ser la palabra de Dios mientras que *Las mil y una noches* son una recopilación de cuentos fantásticos. Eso es la solapa: lo que sabemos, o creemos saber, sobre estos libros. Ahora imagine que la Biblia y *Las mil y una noches* hubieran trastocado sus solapas hace milenios: a estas alturas, las andanzas de Yavé constituirían un deleite para niños pequeños, mientras que muchos devotos habrían muerto por Aladino o habrían sido torturados por negar a Scherezade... Y no crea que exagero: la solapa es como el cauce de un río, y nuestra lectura fluye siempre sometida a sus límites. ¿Me explico?

–Quiere usted decir que un texto aislado no sirve para nada.

–Un texto sin solapa es ficticio hasta que no se demuestre lo contrario –sentenció Neirs–. Esta es mi regla de oro en cualquier investigación. Lo único que puede saberse con certeza sobre un texto así es que *alguien* lo ha escrito.

–El autor es lo ÚNICO real de un texto –completó Virgilio.

–Pero ¿quién es? ¿Dónde está? –Neirs repasó la habitación con la mirada, como buscando al misterioso autor–. ¿Cómo podemos saber quién ha escrito todo esto?

–¿Cómo? –coreó su acólito, animándome a responder.

–Mirando en la solapa –dije.

Ambos asintieron con simétrica felicidad.

–La mujer desconocida, la repetición de la frase «repleta de fantasía», el poema de Grisardo... –enumeró Neirs–. ¡Cada uno de estos textos podría significar tantas cosas!...

–Desde una pura ficción hasta un error gramatical –dijo Virgilio.

–Pero cuando encontremos una solapa fiable –continuó su jefe–, resolveremos el enigma.

Me angustiaba un último punto.

—¿Y qué opina usted del párrafo de la libreta? Quiero decir, según su experiencia... Esa mujer... ¿cree usted que yo la vi realmente?

El detective examinó el párrafo en silencio.

—¿Cuál es su impresión? —pregunté, agobiado—. Le pregunto sólo su impresión como experto en temas literarios...

Neirs tamborileaba en la mesa con sus largos dedos.

—El empleo de los verbos... —insistí, tragando saliva—. ¿No le parece que...?

—¿Me pregunta usted si creo que esta mujer existe o existió realmente?

—Sí.

Cerró la libreta con un gesto brusco.

—Permítame responderle con otra pregunta: ¿eso es lo que a usted le interesa saber en particular?

—No comprendo.

—Se lo diré de otro modo. Suponga, por un momento, que sale ahora mismo de este despacho y se encuentra con la mujer del párrafo... No, no se ría... Es sólo un ejemplo. Y suponga que la reconoce. ¿Se quedaría satisfecho? ¿Daría usted por concluido el caso? En pocas palabras: ¿lo que usted desea es *encontrar* a esa mujer?

Se desató un denso silencio. Horacio Neirs aguardaba mi respuesta sin dar muestras de impaciencia, mirándome a los ojos. Virgilio había interrumpido sus acrobacias y también me observaba con sus pupilas de cuarzo. Me pasé la mano por la barba. Rocé la punta de la nariz con el pulgar.

–Sí –dije.

Había sonado como si una mujer dijera: «Sí», de modo que me aclaré la garganta y repetí:

–Sí, eso es lo que quiero.

El tiempo volvió a transcurrir. Neirs reunió la libreta y los papeles en un pequeño montón y se incorporó.

–Muy bien, pues no creo que sea difícil complacerle. Nos pondremos a investigar de inmediato. Lo llamaré el lunes, si hay noticias.

Virgilio se alzó de puntillas para abrirme la puerta.

–Y no se preocupe –dijo Neirs–: en cuanto hallemos una solapa, todo quedará resuelto. Si la mujer del párrafo existe, estará en la solapa. Y usted la encontrará de inmediato.

«Sí, cuando salga de este despacho», pensé con amargura.

Entonces, al salir del despacho, me encontré con la mujer del párrafo.

VII
ELLA

No lo advertí enseguida, como es natural. Acababa de dedicarle un último apretón de manos a Neirs. Al volverme, observé que el pasillo se extendía más allá de la bifurcación por la que había venido y finalizaba en otra habitación. Al fondo de ésta se apreciaba una llamativa estantería dividida por un listón vertical de mediana altura en dos zonas completamente simétricas con seis anaqueles cada una. Los anaqueles se adosaban al listón como las ramas de un árbol al tronco: los inferiores eran horizontales; los intermedios se alzaban por el lado externo; los superiores, más cortos, alcanzaban casi la vertical. Sin embargo, como el mueble era tan blanco como las paredes, yo sólo veía libros: hileras multicolores de volúmenes como varillas de un abanico abierto convergiendo en un mismo sitio. Aquel sitio central lo ocupaba, desde mi perspectiva, una persona, de modo que las ramas de libros parecían señalarla o brotar de ella. Era una mujer. Se hallaba sentada ante un escritorio blanco, dándome la espalda. Su ajustado vestido negro poseía una amplia abertura posterior. Por encima de la silla la piel se alzaba desnuda mostrando la línea divisoria de las vértebras y el terso polígono de los omóplatos. Su cuello era un tallo de copa. El pelo castaño se albergaba en un moño pequeño. Apoyaba los codos en la mesa: podía estar leyendo o escribiendo. Su figura era

–¿Ha olvidado algo, señor Cabo?

Me disponía a responder a Neirs cuando vi que la mujer volvía la cabeza y se levantaba. Saludó desde la distancia. No sabía que habías venido, dijo Neirs. ¿Llevas mucho tiempo esperando? No, no, acabo de llegar, dijo ella. (Era evidente que existía cierta intimidad entre ambos.) ¿Tienes un minuto?, dijo ella. Pasa al despacho, dijo él.

Era bastante joven, muy alta, abrumadoramente hermosa. Sus zapatos planos no hacían ruido al caminar pero sus brazos cascabeleaban de pulseras. En vez de aguardarla, Neirs se acercó a ella. El encuentro, inevitable, tuvo lugar en C, el punto formado por mi pequeña presencia, que seguía inmóvil en el pasillo. Yo era la división entre ambos y hube de apartarme para que se saludaran. ELLAYOÉL. ÉLYOELLA. Neirs me señaló con un gesto.

–Supongo que habrás oído hablar de Juan Cabo.

Nos tendimos la mano. Su palma era tibia y portentosamente suave. Claro que había oído hablar de mí, qué tal, cómo estaba. Se expresaba con rapidez y pericia, en un tono agradable y cortés, con leve acento extranjero. Le calculé unos 20 años. En estatura me sacaba la cabeza, como Neirs, aunque es verdad que soy más bien bajito. Sus ojos azul eléctrico chispeaban de inteligencia. Cada detalle de su cuerpo (piel tostada; fantasmas del maquillaje; bucles de cabello en aparente desorden sobre las orejas; rabioso perfume; formas exactas del busto, cintura, caderas, espalda, trasero, muslos, pantorrillas; vestido negro y breve; medias con reflejos) denotaba el esmero de alguien que vive (bien) de las posibilidades de su aspecto. Es bailarina, pensé, o modelo, o modelo y bailarina, o actriz y modelo, o bailarina y actriz. Su sonrisa era una lupa: la colocó ante mis ojos y su belleza se me hizo inmensa y complicada, como debe de ser la de una flor para una abeja.

Neirs había mencionado su nombre pero yo no lo había oído.

–Supe lo de su accidente –dijo–. Qué lástima. Aunque usted está bien, ¿verdad?

–No me puedo quejar.

Por alguna razón esta respuesta le hizo una gracia infinita. Separó las dos hileras de dientes mientras reía. Su risa no dejaba de ser delicada; una sonrisa sonora.

–Mi coche quedó hecho polvo y yo salí ileso –añadí–. Un milagro, según dicen... Pero en la vida, a veces, suceden milagros...

–Sí, eso es cierto. Yo también lo creo.

Como si se le hubiera ocurrido algo de repente, abrió el pequeño bolso de cadenilla que colgaba de su precioso hombro desnudo. «Si me permite, voy a darle una de mis tarjetas». Y me la dio, en efecto: perfumada, satinada, lujosa. Su cuerpo, mágicamente transmutado en tarjeta. No la leí en aquel momento. La guardé en el bolsillo preguntándome por qué una actriz, una modelo o una bailarina habría de darme su tarjeta nada más conocerme. Encantado, encantada, nos dijimos. Ella entró en el despacho con Neirs; yo acompañé a Virgilio. En el vestíbulo, mi guía me entretuvo con la firma de algunos documentos relativos a los detalles económicos. Como suponía, «Horacio Neirs. Investigación y Crítica» era una agencia cara, diríase que selecta, pero el dinero era el único detalle de mi vida que no me preocupaba.

–Ha tenido usted la MEJOR suerte del mundo –dijo Virgilio mientras me despedía–. El señor Neirs es BUENÍSIMO en su trabajo.

Mientras la plateada cabina del ascensor se deslizaba con suavidad hacia la planta baja, saqué la tarjeta del bolsillo. Las letras destellaban de azul.

MUSA GABBLER OCHOA
MODELO PROFESIONAL PARA ESCRITORES

Las puertas del ascensor se abrieron, partiendo mi reflejo por la mitad.

Eran casi las 4 de la tarde cuando salí del edificio. Decidí almorzar en la barra de un bar cercano, uno de esos lugares de Azca para *yuppies*, y pedí un sándwich vegetal y una cerveza sin alcohol. Apunté en mi libreta, bajo «Personas»:

10. Horacio Neirs: elegante, profesional.
11. Virgilio: pequeño, guía.
12. Musa Gabbler:

Aquí me detuve. No se me ocurría cómo resumirla. Quizá «bello azar» fuera una buena expresión, pensé. El impacto de su imagen de espaldas aún me trastornaba. No podía olvidar sus ojos perfectos y el fulgor de su anatomía. Un átomo del bebedizo de su perfume seguía hechizando mi olfato. «Musa Gabbler Ochoa, Musa Gabbler Ochoa», susurré. Sonaba a murmullo, estallido de burbujas y aliento final. Me pregunté si sería *ella.* La coincidencia parecía casi sobrenatural. «Pero en la vida no suelen suceder las mismas cosas que en las novelas –razoné–. Además, una chica con vestido negro y moño no debe de ser infrecuente.» Por otra parte, aquella muchacha no necesitaba ser la mujer de mi párrafo para resultarme atractiva y enigmática. Otro punto que ignoraba era lo de «modelo profesional para escritores»: no tenía ni idea de qué clase de oficio sería.

Decidí posponer sus palabras descriptivas, guardé la libreta y me concentré en el sándwich.

El bar se hallaba en una especie de semisótano y sus ventanales oscuros mostraban las piernas de los transeúntes. En un momento dado, dos hombres sentados en un rincón volvieron la cabeza y miraron hacia la calle. Yo hice lo mismo. El camarero de la barra nos imitó. Forradas de seda negra, las piernas desfilaban de izquierda a derecha tras las ventanas, majestuosamente, como en un espectáculo de sombras. Pensé que sus zapatos planos no harían ruido al caminar. Demoró lo suficiente para que todos pudiéramos disfrutarla y yo, además, reconocerla. Pagué la cuenta y decidí seguirla, porque no tenía nada mejor que hacer y porque el azar del nuevo encuentro (apenas 20 minutos después del primero) me intrigó.

La tarde de sábado era espléndida, aunque en la Castellana soplaba un aire áspero, frío, movedor de nubes. La prenda que ella llevaba encima no estaba de más, por tanto; lo que me sorprendía era el desajuste de atuendos: cazadora militar color caqui sobre el elegante vestido negro. Me hacía pensar en una de esas ejecutivas que acuden al trabajo con modelos de Chanel y zapatillas de tenis. Caminaba hacia Nuevos Ministerios sin apresurarse, con naturalidad, apretando contra el costado el bolso de cadenilla. Los hombres giraban la cabeza al paso de aquella escultura alta y canónica. Me divertía observar a los ocupantes de los coches detenidos en los semáforos: la forma que tenían de apartar los ojos ociosos de la monotonía del tráfico; su sorpresa al distinguir la ondulante silueta; los esfuerzos por no perderla de vista. A mí, que iba en la carroza de atrás, en la que nadie reparaba, todo aquello me parecía un juego.

De pronto se detuvo. Alzó un brazo, quizá para consultar la hora, miró a un lado y a otro (llevaba gafas de sol), se aseguró de que el pelo y el moño seguían en su sitio y se dirigió a un banco de la avenida, encharcado de sombras de árboles. Dejó el bolso en el banco y se quitó la cazadora, que apoyó sobre el bolso. Después regresó al centro de la acera. En medio de aquel torbellino de vehículos, cielo índigo y paisaje de ciudad, ella, en traje de noche, parecía el anuncio tridimensional de un perfume. La tarde destellaba en los músculos de su espalda desnuda. Se quedó de pie, las piernas juntas, el torso erguido. El viento convirtió los picos de su minifalda en una veleta. Permaneció 1 minuto en aquella posición. Entonces giró a la derecha y dejó transcurrir otro minuto; después giró a la izquierda. Los escasos transeúntes la observaban con curiosidad. Al principio pensé que contemplaba algo, y me volví en las mismas direcciones que ella, pero al no ver nada especial, el vuelo de mis ojos regresó, como un gorrión dócil, a su cuerpo. Pronto comprendí que su postura era el único propósito de aquel extraño ejercicio. ¿Qué estaba haciendo? ¿Yoga? ¿Relajación mental? Tres minutos después se dirigió al banco, cogió la cazadora y se la puso; pero volvió a quitársela casi enseguida y retornó al centro de la acera; repitió las tres posiciones. Otros tres minutos más tarde, al regresar al banco por segunda vez, se sentó, se despojó de las gafas de sol y comenzó a charlar.

A *charlar*, tal como lo digo.

Me acerqué, ocultándome tras un árbol; aun así, no pude escuchar palabras; tampoco me pareció que ella las pronunciara. Pero sus largas manos aleteaban; ladeaba la cabeza; su rostro enarbolaba la deslumbrante sonrisa. Parecía dialogar con un espectro. La vi reír de la misma forma que había reído conmigo una hora antes. La vi resbalar hacia una esquina del banco, besar el aire e inclinar la nuca hacia atrás, cerrar los ojos y separar un poco las piernas. Era una verdadera suerte que a esas horas tardías del sábado apenas hubiera testigos. ¿Estaría enferma? ¿Drogada? Fuera lo que fuese, resultaba un espectáculo fascinante.

De pronto se me ocurrió anotar aquel increíble «Suceso». Saqué la libreta y el bolígrafo y me apoyé en el tronco. Estuve dándole vueltas a lo que escribiría. Al fin puse:

8. Ella goza con sus fantasías.

El punto final, tras la palabra «fantasías», ejecutó un vuelo salvaje; la tinta desgarró el papel. Me volví, reprimiendo un grito, al sentir el empujón.

Se trataba de un viejo de aspecto oriental, quizá japonés, delgado, de cabellos grises. Unos prismáticos de teatro oscilaban, colgados de su cuello, sobre una chaqueta de mezclilla y un chaleco rojo. Sostenía otra libreta y otro bolígrafo y me miraba con ojos como guiones oscuros a través de los cristales de unas gafas metálicas. Al parecer, había venido corriendo desde algún sitio, porque jadeaba. Barboteó algo. «Perdone, ¿qué le ocurre?», dije. Volvió a empujarme y me arrinconó contra el árbol. No paraba de gritar y de enseñarme los dientes, como si quisiera morderme. Señaló mi libreta; hizo ademán de escribir; me señaló a mí; hizo ademán de negar; se señaló a sí mismo; me mostró su libreta. Atisbé en el papel los ideogramas propios de su lengua. «*You cannot write, sir!*», chapurreó por fin. «*This is my time!*» Alzó un brazo en dirección a la muchacha. Ella, que había abandonado la mímica, nos contemplaba desde el banco con curiosidad, pero no parecía decidida a acercarse. Yo estaba avergonzado. «Ahora se dará cuenta de que la he seguido», pensaba. El japonés (cada vez entendía mejor lo que me decía) insistía en su prioridad: él la había contratado antes; la escena era para él, para su uso personal, yo no podía copiarla. Había estado observándola con los prismáticos mientras escribía, y de repente me había visto a mí, mirándola y escribiendo también. ¿Acaso iba yo a negarlo? ¡Allí estaba mi libreta como prueba! Me alejé del viejo sin replicarle. «¡Señ... Cab...o!», escuché, pero no me volví. Cogí un taxi y regresé a casa, profundamente abochornado.

El teléfono sonaba cuando llegué. Al descolgar y oír su voz, me pareció que no había dejado de llamarme y que sus palabras constituían una prolongación de su grito.

–¿Señor Cabo?... Soy Musa Gabbler Ochoa.

Deseaba verme esa misma noche. «He de decirle algo importante», añadió. Repliqué: «De acuerdo». Después, cuando colgué, logré razonar. Y de inmediato me sentí infeliz. Mucho más tranquilo, pero infeliz. Temí que estuviera enfadada, incluso que pretendiera demandarme por haber provocado aquel pequeño incidente durante su trabajo. Inventé explicaciones defensivas mientras me vestía. O quizá no era enfado sino interés: a lo mejor buscaba un enchufe para colaborar con los escritores de Salmacis. Decidí que prefería el enfado. Cuando Ninfa me vio bajar del dormitorio vestido con traje oscuro y pañuelo de seda al cuello, movió la cabeza con gesto desaprobador. «Vuelvo enseguida, Ninfa», mentí.

Más tarde, en el taxi, descubrí que tenía una erección.

Habíamos quedado en un café de la zona de Ópera a las 11 de la noche, pero el taxista me dejó un poco antes porque aquello era un hervidero de coches. Hacía frío, mucho más que por la tarde, aunque el cielo nocturno se hallaba despejado. No así las calles: coincidí con el final de una función en el Teatro Real y hube de esquivar trajes oscuros, figuras perfumadas y ancianas enjoyadas. La ópera había gustado –era *Las bodas de Fígaro*–. Escuché, al pasar, comentarios de alabanza; también anécdotas: una espectadora no terminaba de enterarse de que Cherubino era una mujer que hacía de hombre que al final hacía de mujer, y se lo explicaban a gritos.

Para mi sorpresa, el café se hallaba casi vacío. Se trataba de un salón *art déco* recubierto de caoba, con espejos en las repisas de la barra. Sólo había una persona en las mesas (en la barra había tres), y era Musa. Avancé hacia ella boquiabierto.

«Fabulosa», pensé al verla. Rodeada por la oscuridad de la madera, iluminada por la vidriera de las lámparas *art déco*, parecía la llama de una vela. Toda ella era de color crudo, salvo un fular rojo ocre enroscado al cuello. Llevaba un conjunto de jersey de cuello vuelto, minifalda de algodón, medias opacas largas y zapatos de tacón ancho. Su pelo no había variado: era un casco de cobre adornado con un moño. En la mesa yacía un cigarrillo con boquilla sobre un cenicero transparente, una cajetilla de Gauloises y un vaso de cinzano. Las manos, largas, finas, sensuales, jugaban con un pequeño papel (quizá el sello de la cajetilla); las muñecas ardían de pulseras.

–Siéntese –dijo.

Ocupé la silla que había frente a ella. A oleadas me llegaba su agresivo perfume. Estaba seria, o simplemente pensativa. En el aire cantaba un grupo similar a Los Platters; quizá Los Platters.

–Escuche, lo de esta tarde, yo...

–Fue culpa mía –me cortó–. Tenía que haber aclarado el equívoco. Perdóneme. Es que al pronto creí que ustedes dos se conocían. Me refiero a mi cliente y usted.

Su forma de expresarse, con aquella exacta rapidez, era tan diáfana que estoy seguro de que ahora la cito textualmente. Nada se interponía entre el papel y sus labios: ella hablaba para ser escrita. Supuse cierta deformación profesional.

Volví a disculparme pero no revelé que la había seguido. «Una coincidencia –dijo–, olvidémoslo.» Una coincidencia más. La Bella y la Coincidencia. Nuestra Señora de las Coincidencias. Un camarero, de quien sólo atisbé la barriga y el delantal negro (Musa Gabbler Ochoa era el único espacio que admitían mis ojos) me preguntó qué deseaba, y pedí una cerveza.

–¿Hace esto a menudo? –inquirí–. Lo de quedar con alguien en algún lugar y...

–Siempre que puedo. Es mi trabajo. Los escritores me telefonean, me dicen lo que tengo que vestir, lo que quieren que haga y en dónde, y se dedican a observarme mientras toman notas para sus obras.

Asentí. «Por eso llevaba el vestido negro debajo de la cazadora –pensé–. Era su ropa de trabajo.»

Me miró un instante. Su finísima ceja castaña izquierda se alzó como la hoz de una interrogación. Sus labios en bermellón claro sonreían.

–Pensé que conocías la profesión de modelo de escritor. ¿No has contratado nunca a ninguno?

Le dije que no, aunque, por supuesto, no lo recordaba (y advertí la suavidad con que había empezado a tutearme: para una persona que se expresaba como ella, aquel gesto tenía dotes de caricia). Me explicó que era un oficio bastante reciente, pero, en el fondo, muy antiguo. «Sólo que antes el modelo no era consciente de que lo era», dijo. Se extendió con datos que me revelaron, además, su ingente cultura: a Flaubert le hubiera encantado tener varios –modelos, se refería–, y a Proust también. De hecho, el primero había adquirido un loro disecado para escribir *Un corazón simple*. ¿Por qué no una mujer viva para *Bovary*? Y si el autor del *Tiempo perdido* pasaba horas estudiando un rosal con el fin de reflejarlo en su obra, ¿acaso no hubiera deseado disponer de una muchacha inmóvil dentro de su habitación, y observar durante días el laberinto de una mirada o el vaivén de un gesto? «Quien dice muchacha dice cualquier otra persona, incluyendo ancianos y niños –aclaró–. Somos muchos en esta profesión.» Objeté que podía haber cierta artificiosidad en esa manera de proceder. «Bien –dijo ella, y me deslumbró con su sonrisa–, pero la literatura es un artificio, ¿no?» Yo no estaba tan seguro. Musa insistía: las mujeres de las novelas, los hombres de las novelas, ¿qué son, sino figuras convencionales repletas de... repletas de... (dudaba, buscando la palabra)... tópicos? En el fondo, hasta los personajes más verosímiles están creados para entretener. Toda literatura es mentira, y yo debía de saberlo. No como nosotros, que éramos verdad. No como ella, Musa Gabbler Ochoa, y como yo, Juan Cabo, que poseíamos peso, lastre, un equipaje de realidad repleto de... de... nuestras respectivas biografías. «¿Acaso te ves metido en una novela?», me preguntó, iluminando la frase con su dentadura. Reímos, pero no pude evitar replicar que, desde mi accidente, ésa era, expresada con justa exactitud, la sensación que me embargaba.

–¿Que estás metido en una novela? –Abrió de par en par sus enormes ojos.

–Que todo lo que me rodea es ficticio, incluyéndome a mí mismo –declaré–. Como si hubiera nacido hace 35 páginas en vez de hace 35 años.

Hice una pausa y contemplé los arrecifes blancos de mi cerveza.

–O como si yo también fuera un modelo de escritor. –Y levanté la vista para agregar: «Todo se debe a mi amnesia, claro», pero entonces percibí que la expresión de Musa había cambiado. Lanzaba nerviosas miradas hacia la barra.

Seguí la dirección de sus ojos y quedé petrificado. Sentado en un taburete frente a nosotros se hallaba el hombre de la cara fofa. Lo reconocí enseguida, porque llevaba el mismo traje gris de La Floresta. Escribía apresuradamente en un cuaderno que apoyaba sobre la barra, junto a los accesorios de un servicio de té o similar. Todo parecía indicar que había estado allí desde el principio, pero que mis ojos, poseídos por Musa, no se habían percatado hasta ese instante. De improviso alzó la pluma y me devolvió la mirada, imperturbable, sin desafío, con cierta curiosidad profesional, como un pintor contemplaría una puesta de sol o un médico las eflorescencias de una enfermedad de la piel.

–¡Por favor, Juan, no lo mires! –susurró Musa, apurada–. ¡Sigamos hablando como si él no estuviera!... Se trata de un cliente... Es que ahora mismo estoy trabajando, ¿sabes? –Imprimió a su voz un tono lastimero, como queriendo decirme: «Ya lo ves: ésta es la canallesca servidumbre de mi oficio»–. Me llamó por la tarde y me dijo que deseaba una escena en un café, un diálogo entre dos personas: una tenía que ser yo y la otra tú. Pero insistió en que no te dijera nada.

La monstruosidad de aquella declaración me hizo temblar. Musa depositó su bellísima mano sobre la mía.

–¡Finge que no sabes nada, te lo suplico! De lo contrario, me harías perder dinero. –Su ruego era tan perentorio que, con esfuerzo, la obedecí.

–Me he encontrado con él en otra ocasión –dije en voz baja–. ¿Quién es?

Ella no lo sabía. La contrataban muchos escritores anónimos. También ignoraba por qué había exigido mi presencia en la escena. Le pagaban por trabajar sin hacer preguntas.

–Pero no pienses más en él... –Sus finas pestañas descendieron–. Te juro que te hubiera llamado esta tarde de cualquier forma... Ya te dije que tenía que revelarte algo muy importante...

No respondí. Observé de reojo cómo Don Cara Fofa me miraba y escribía. Pensé que quizá estaba anotando: «Juan Cabo observó de reojo cómo *yo lo miraba y escribía*». Inferí las palabras que usaría para narrar mi rostro en aquel instante: «palidez», «temblor de labios», «globos oculares desorbitados»... ¿Quién sería? ¿Por qué se tomaba tanto interés por mí? De buena gana me hubiera levantado para pedirle explicaciones, pero la súplica de Musa me retenía. Fijé la mirada en ella. Su belleza me apresó; sus ojos me encerraron en un paréntesis azul.

–Juan, quería decirte... quería que supieras que...

Titubeó, como si la confesión que iba a hacerme fuera especialmente vergonzosa.

–Juan, la mujer de tu párrafo soy yo.

VIII
EL AMOR ES UN LABERINTO

La revelación me dejó asombrado.

Sí, habíamos coincidido la noche del 13 de abril en La Floresta Invisible. Ella había llegado antes y me había visto entrar. Me recordaba perfectamente, porque, debido a su trabajo, conocía a casi todos los escritores profesionales. Moño y vestido eran los mismos que llevaba aquella mañana en las oficinas de Neirs. La única diferencia: no se había sentado en la mesa 15. Pero desde mi sitio era perfectamente posible ver su espalda, de modo que no era erróneo afirmar que ella ocupaba «una mesa solitaria *frente a la mía*». Qué coincidencia. Las coincidencias son como el amor y la literatura, igual de absurdas y desatinadas. Las coincidencias son la novela de Dios, que también es escritor, como todo el mundo.

Se había enterado de mi caso a través de Neirs. El detective, a quien ella visitaba regularmente para obtener nombres de futuros clientes, había notado mi asombro al verla al fondo del pasillo.

Cuando me marché, le comentó mi problema. Neirs sabía que Musa, debido a su profesión, frecuentaba lugares como La Floresta. «Ya tenemos solapa, Musa: eres tú», le había dicho. Lo único que restaba por aclarar eran los detalles literarios: la repetición de frases, los párrafos posiblemente enmendados, etcétera, pero Neirs sospechaba que todo esto tendría una explicación muy fácil. Le había pedido a la modelo que no me dijera nada todavía, pero ella había decidido quebrantar su voto de silencio.

–¿Por qué? –pregunté.

Entornó los párpados, jaspeados de tonos ocres.

–Porque leí lo que escribiste sobre mí.

Neirs le había mostrado el párrafo de la libreta. Ya podía imaginarme, dijo, ¡había leído tantas cosas sobre su persona!... Estaba acostumbrada a su propia descripción. Pero la sencillez, la espontaneidad de aquellas tranquilas frases –*Me he enamorado de una mujer desconocida*–, aún la fascinaba. No recordaba haber despertado jamás una pasión tan repentina. Y mientras decía esto, su cabeza de cabellos lacados asentía, y sus ojos se licuaban de admiración, y de amor, y de literatura, y de coincidencias.

Yo la escuchaba emocionado. Mi corazón latió voluptuosamente durante los 10 minutos que duró su confesión. Un detalle me agobiaba, sin embargo. Musa parecía considerar el párrafo como una declaración sincera procedente de un alma arrobada. Yo no estaba tan seguro. Quiero decir que era lógico pensar que el 13 de abril yo había sufrido un flechazo al contemplar aquella silueta con olor a perfumería, ojos abovedados de azul grisáceo, busto cimero y voz con matices de alfombra o abrigo de pieles. Un testigo imparcial hubiera elegido a Musa entre mil como protagonista indiscutible de «Me he enamorado de una mujer desconocida». Pero en aquel momento, en aquel preciso momento del café de Ópera, los ecos de mi presunta pasión habían desaparecido. Juro que me esforzaba por volver a experimentarla, por reconocer que el amor no es amnésico y ha de persistir –como la cicatriz de una quemadura– en algún repliegue del alma. Pero, a bote pronto, sólo lograba identificar una erección. Miraba a Musa, escuchaba a Musa, suspiraba y sonreía en simetría con Musa, pensaba: «¡Es ELLA! ¡Por fin!», pero lo único que percibía era que mi pene (que no tiene ojos y no sabe lo que es la literatura) tensaba peligrosamente la bragueta.

Y no podía olvidar a Don Cara Fofa, que seguía mirándome y deslizando la pluma sobre el cuaderno. «Quizá es este tipo quien me impide emocionarme», razoné. Porque él había organizado aquella cita (aunque Musa insistía en que me habría llamado de todas formas), y eso, naturalmente, restaba espontaneidad a la situación. Por si fuera poco, ignoraba si la modelo era sincera. Sin ir más lejos, aquella misma tarde la había visto improvisar una escena de magreos invisibles para un japonés. «Quizá haya recibido instrucciones para mirarme así –pensaba–, o para ejecutar este simple gesto que acaba de hacer ahora con la mano. Hasta puede que haya memorizado un guión.» La angustia empezaba a resultarme insoportable. No podía saber si lo que ella me había dicho ya estaba escrito.

–¿Te pica la nariz? –preguntó de repente.

–No. –Detuve mi tic–. Es que estaba pensando.

–¿En qué?

–Me molesta un poco la presencia de ese hombre –dije en voz baja–. ¿No podríamos irnos a otro sitio?

Consultó la hora en su fina muñeca. «No te preocupes –dijo–. Ya terminó el trabajo.» Y como si la hubiera oído, Don Cara Fofa cerró el cuaderno y bajó del taburete.

–Por favor, Juan, no le digas nada. Ni siquiera lo mires. –Musa hospedó mis manos entre las suyas–. Ya terminó todo. Él se marchará y nosotros también. No ha sido tan malo, ¿verdad?

Sí, había sido muy malo, pero no quería decírselo. Con el rabillo del ojo espié a Cara Fofa mientras se iba, y hube de hacer verdaderos esfuerzos para ignorarlo. «En otro momento averiguaré lo que buscas de mí», pensé. Desvié la atención hacia los ojos de Musa y vi pura belleza azul pigmentada por los destellos de la lámpara, como el visitante de un acuario asomado al estanque de peces tropicales. Pero sólo eso: belleza. ¿Hasta qué punto hay sinceridad en tu mirada?, me preguntaba. Cuando el hombre desapareció, nos pusimos en pie. Los zapatos de tacón la elevaban a lo inaccesible; yo llegaba un poco más arriba de sus generosos pechos. Los pezones, punzando la tela del jersey, me miraban como ojos vendados.

–Te invito a tomar la última copa en mi casa –dijo mientras recogía el bolso y el tabaco. Pero en vez de caminar hacia la salida se dirigió al fondo del café, hacia unas cortinas rojas.

–Vivo aquí –comentó.

Y apartó las cortinas.

Vislumbré el interior de un portal. Subimos en un ascensor casi instantáneo hasta un brillante pasillo con una sola puerta al fondo, de color violeta. Sus tacones se hundieron en el felpudo de la entrada. El piso olía a perfumes encerrados. Las paredes, de colores chillones, estaban horadadas de nichos con figuras. El sofá parecía la mesa; la mesa, de espumillón rosado, semejaba la almohada. Las cortinas de papel mostraban un dibujo a tinta china de Picasso sobre toros y minotauros. Musa las descorrió electrónicamente. Refulgió bajo la noche el resplandor horizontal de la Plaza de Oriente.

–¿Te gusta mi guarida? –preguntó.

Asentí. Claro que me gustaba; estaba fascinado.

Abandonó la boquilla en un cenicero que temblaba como un náufrago sobre la balsa rosada de la mesa; se quitó el fular y dejó que planeara hacia el sofá. Entonces se acercó a un mueble de curioso diseño. Era una maqueta del Teatro Real del tamaño de un velador de baja altura. Abrió el techo, y el interior fulguró de bombillas y espejos y expulsó la obertura de *Carmen* a través de altavoces en miniatura. Se inclinó y sacó una botella de martini, otra de champán y otra de whisky. Volvió a cerrar la tapa y la música cesó. «Un mueble bar precioso», comenté por decir algo. Sonrió y dijo que un decorador alemán lo había diseñado expresamente para ella. Durante un par de minutos contemplé cómo se dedicaba, con gran habilidad, a preparar la bebida. Molió hielo y agitó una coctelera sobre una barra color verde hierba. Abanicos de luz desvelaban, en la pared, la colosal foto de estudio de una mujer desnuda y arrodillada, los brazos envolviendo las rodillas, el rostro oculto entre las piernas, un moño pequeño como un chichón, todo el cuerpo en azul pavo real sobre fondo blanco. Demoré un instante en percatarme: era Musa. La Musa real, de pie frente a la foto, parecía lejana comparada con aquella enorme anatomía.

–A ver si te gusta. –Me entregó el cóctel–. Dicen que lo preparo bien.

El vaso (no podía ser menos) parecía la copa del Grial; su borde estaba repintado de oro. La vi arrellanarse en un diván rojo, cruzar las piernas y dejar caer una guinda en la bebida (hizo «pluc»). Alabé el cóctel sin exagerar. Ella sonrió, y una de sus bellísimas rodillas, al alzarse, imitó la forma y el paisaje de una cremosa cumbre nevada de montaña. ¿Me apetecía cenar? Podía preparar algo en un minuto. No, no, gracias, yo ya había cenado (era mentira; en realidad no sentía hambre, ni siquiera sed). La bebida me mareaba, también la decoración. Pero lo peor era Musa: sus largos muslos revelados por la tensa gruta de la minifalda; su sonrisa cazadora, disparada con puntería hacia mis ojos como un perfecto fogonazo. Me entraron unas ganas enormes de escribir: casi se igualaron a las que tenía de orinar y de satisfacer mis impulsos eróticos. En aquella casa, con aquella mujer, bebiendo aquel filtro, la ficción literaria surgía casi sin esfuerzo. Comencé a mover una pierna en un tic mecanográfico.

Hablamos de literatura: los autores que le gustaban, los temas. Después ella empezó a contarme una historia muy extraña. Creí que se trataba de una especie de argumento de novela, porque lo narraba en tercera persona: una niña, hija de padres millonarios, a quien su padre, que era un sádico, maltrataba sexualmente. Él la amenazaba con matarla si lo denunciaba a la policía; ella estaba sola y era muy joven (su madre también se hallaba bajo la férula paterna). Desde los 12 a los 16 años, la vida de aquella criatura fue infernal: obligada a permanecer desnuda, encadenada en una celda del sótano de su casa, tratada como una esclava, peor aún, como un animal... Musa detallaba cada uno de los espantosos suplicios. De vez en cuando cambiaba de postura, mostraba otro polígono de su muslo y seguía derramando en mi oído torturas sexuales. Las gotas de sudor resbalaban por mi frente. No sé cuántas veces me llevé la copa vacía a los labios. Las peripecias de la chica habían terminado bien, sin embargo: había escapado de casa a los 16 años y se había unido sentimentalmente a un profesional del mundo de la moda. En cuanto al padre, había sido detenido y enviado a un manicomio, donde falleció. Musa agregó: «La chica era yo». Y cruzó y descruzó las piernas, zis, zas, como agujas de gancho tejiendo una prenda invisible. Hubo un silencio. «Qué historia más...», pensé, sin acertar con la palabra. ¿Increíble? ¿Terrible? ¿Estúpida? Mi cerebro se había convertido en una marquesina de colores chillones que anunciaba escenas de violación. Protagonista: Musa Gabbler Ochoa.

–¿Te pongo otro? –preguntó.

No sabía a qué se refería. Señaló mi copa, y caí en la cuenta. Dije que no. Musa no había cambiado de tono para hacerme la pregunta, y quizá a ello se había debido mi confusión: su voz había pasado de las torturas de su infancia a la cortesía de la bebida con similar frialdad. «Qué ficticio me parece todo –pensé–. Cuando intente narrar esto en el futuro me costará suspender la incredulidad del lector.» (Y ahora, mientras lo escribo, sospecho que mi temor se ha cumplido.)

Tras una pausa insoportable, decidí cambiar de tema.

–Musa, perdona, pero tengo una duda.

Le comenté lo que había pensado en el café. ¿Su declaración era suya o una invención de su cliente? La vi enderezarse, fruncir el delicioso ceño. «Oh, no debes pensar eso, Juan.» Me dijo que la cita era ficticia, pero que sus palabras eran reales. Palabras Reales frente al Palacio Real y el Teatro Real (se me ocurrió aquella tonta comparación). Se levantó y se sentó junto a mí. Me miró con ojos diáfanos, preocupados y azules. No estarás enfadado, ¿verdad? No, no, claro que no. Yo sentía un calor insoportable. Todas las islas de mi rostro que no estaban cubiertas de pelo se hallaban húmedas. Me incorporé para quitarme la chaqueta, que era moderna, de un diseñador madrileño llamado Cabo (otra coincidencia, sí), y carecía de solapas, como casi todo, y la abandoné en la mesa de tela rosada. Allí puesta, desinflada, inútil y oscura, parecía mi conciencia moral. Cuando volví a sentarme, Musa me besó.

Fue así: me senté y me besó; sin transición ni preámbulos.

Sin embargo, aunque he escrito con exactitud lo sucedido –«me besó»– no se materializan el golpe de su mucosa contra la mía, el tacto a fruta y tabaco de su boca, el ardor de ojos cerrados, la humedad de los gestos, el émbolo de las mejillas. Recuerdo vagamente que dejé caer mi copa sobre la alfombra y que apenas me percaté de ello cuando nuestros rostros se apartaron. En sus labios brillaba mi saliva. Deslizó una mano perfumada por mi barba y, con un simple ademán, me quitó las gafas, las plegó y las abandonó sobre la mesa. Volvió hacia mí un hermoso rostro en tonos pastel, obra de mi miopía impresionista, y dijo:

–Viólame.

Sencillamente. Yo no sabía muy bien cómo tomarme aquella orden. Si ella hubiera sonreído me habría echado a reír, pero no veía ninguna semiluna blanca partiendo sus borrosos rasgos.

Musa estaba seria. La orden era seria. Yo estaba serio. Procedió a explicarme, entre jadeos intermitentes, que la experiencia con su padre la había traumatizado, y que eso era lo que más la excitaba, su fantasía predilecta: descubrir a un extraño en casa que saltara sobre ella, rasgara su ropa y la poseyera a la fuerza. ¿Te gustaría? Lo pensé un momento. No mucho, sólo un momento. Podríamos intentarlo, le dije, pero antes, ¿dónde está el servicio, por favor?

Me acompañó con aires de azafata por un pasillo de parqué morado y paredes verde quirófano, encendiendo incontables luces a nuestro paso. Estatuas como ladrones o rameras aguardaban en las esquinas, espejos ocultos ejercitaban la paranoia, líneas de colores rayaban el suelo. Escogimos tres bifurcaciones hasta llegar a nuestro destino. Musa pulsó los interruptores de un baño largo y cegador como un camerino y me abandonó allí.

La taza era plateada, ultramoderna. Muchas naves espaciales, pensé, no se avergonzarían de poseer aquel diseño. Tenía labrados en su interior, como un tatuaje, un globo terráqueo y una leyenda en letras de oro: «Ensuciamos nuestro planeta todos los días». Mientras orinaba, trataba de ordenar mis pensamientos. Pero ambas cosas me costaban cierto esfuerzo, me refiero a orinar y pensar: la erección disparaba el líquido hacia zonas equívocas, y había de ingeniármelas para encorvarme artísticamente y apuntar al hueco del retrete, justo en el centro de la Tierra. Por otra parte, la mayoría de mis ideas tampoco daba en la diana. Todo había sucedido demasiado rápido: Musa había pasado a ser ELLA, y ahora ELLA aguardaba en el comedor a ser violada mientras ÉL vaciaba su vejiga entre contorsiones sobre una reproducción en plata de nuestro mundo. No era así como yo había imaginado mi primer encuentro con la mujer del párrafo, claro. Pero concluí que la vida no era una de mis novelas, y no tenía por qué amoldarse a los límites de mi imaginación.

Antes de salir, saqué la libreta del bolsillo y escribí:

12. Musa Gabbler: perfecta

Porque era la única «palabra descriptiva» que en aquel momento se me ocurría. Ya pensaría en otras. Cuando encontré el camino de vuelta, tras varios intentos equívocos por pasillos con rayas de colores dibujadas en el suelo, sorprendí a Musa sentada en el diván rojo hojeando una revista de modas, las bellas piernas estiradas, los pies apoyados en la mesa hundiendo con los zapatos la superficie almohadillada. Al pronto pensé que había cambiado de opinión, pero entonces se incorporó y me tendió un papel fotocopiado.

–Por favor, léelo y sigue las instrucciones –dijo–. Si tienes alguna duda, pregúntame.

El original había sido mecanografiado. No era un texto muy largo.

Me da mucha vergüenza decirte esto, seas quien seas, por eso lo tengo escrito. Escóndete tras la cortina. Yo aguardaré un minuto, la descorreré, haré como que te descubro y gritaré. Entonces intentaré huir de ti. Tú no tengas piedad. Sujétame, rómpeme la ropa, golpéame, lo que quieras. No temas hacerme daño. No te muestres amable en ningún caso. Yo tampoco seré sumisa sino rebelde. Mi rebeldía y tu crueldad serán como el negror del tizón y la rojez del fuego: mientras más cruel, más rebelde, mientras más rebelde, más cruel. ¡Así, hasta que nuestro placer estalle y nos corramos como bestias entre una cacofonía de alaridos! ¿De acuerdo? ¡Pero no, no me respondas! No quiero que hables. Vete a la cortina y escóndete, por favor.

Recibe un saludo muy cordial.

Musa Gabbler Ochoa.

Cuando acabé la increíble lectura, Musa me preguntó si tenía alguna duda. No tenía ninguna. Hice lo que me pedía: me situé tras las cortinas de papel y esperé. El minotauro de Picasso, a la altura de mi cara, me miraba con ojos de animal compasivo.

Las cortinas se descorrieron.

Debo hacer un alto en este punto, lector. Lo que sucedió después me avergüenza de tal manera que apenas si encuentro fuerzas para proseguir. Me apresuro a aclarar que no creo ser mojigato ni nada parecido: no me preocupa la moral sino la inteligencia. Lo ocurrido en casa de Musa, justo hasta el momento de la revelación postrera, me hace pensar, cada vez que el recuerdo me asalta como una puñalada, que fui un rematado imbécil. Permíteme, pues, que continúe narrando (porque me he propuesto contarlo todo) en tercera persona. De esta forma, gracias a tan particular subterfugio literario, lograré distanciarme de la conducta de un Juan Cabo que, quizá por vez primera, me pareció indigno de ser yo mismo.

Al descorrerse las franjas de papel, Cabo se sintió el único actor de una obra cuyo texto había olvidado. Musa lanzó un grito horrísono y retrocedió. Bruscamente, un deseo poderoso, mamífero, tensó las entrañas de Cabo. Pero al arrojarse sobre ella golpeó con el vientre la maqueta del Teatro Real, provocando que el techo se abriera y surtiera a chorro la obertura de *Carmen*. Su víctima, aprovechando la oportunidad, huyó de la habitación. Cabo la siguió tambaleándose. Tac, tac, tac, tac. Los zapatos de ella dejaron de resonar por los pasillos. Sus gritos se deshilacharon a kilómetros de distancia. Pronto, nuestro héroe comprendió que la había perdido. Corredores y puertas, bifurcaciones y paredes, surgían al azar en cada esquina. Pero Cabo se fijó en las líneas de colores que surcaban el parqué, y, poseído por una idea repentina, se dedicó a estudiar sus recorridos: unas se desviaban por la primera bifurcación, otras por la segunda, el resto continuaba hacia el fondo. Pensó en la posibilidad de que se tratara de una especie de pista. Acaso Musa tenía la casa preparada para ese juego. Eligió la línea roja (quizá porque en aquel momento lo veía todo de ese color), fina como un hilo o como el subrayado de un texto, y la siguió, caminando encorvado para distinguirla. Dos pasillos más allá, la línea doblaba en dirección a una puerta cerrada. Todo era silencio. Cabo abrió la puerta de improviso. Vio un dormitorio. La cama era redonda y verdosa, como las paredes; el techo y el suelo, negros; los muebles y biombos, carmesíes. Musa se hallaba sentada en la cama, las manos en las rodillas, la falda replegada en la cintura, el torso jadeante. Al ver a Cabo, lanzó un nuevo alarido, dio un brinco (se había quitado los zapatos) y corrió hacia un rincón, apoyando la espalda contra la pared. Él se acercó, encorvado y resollando (en parte por fatiga, en parte por asustarla) y ella se llevó una mano a los pechos y otra al pubis y los amasó como pan tierno por encima del conjunto beige y revuelto. «¡No, no, atrás! –clamaba–. «¡No, por favor! ¡No, por favor!». (Él sospechó que la habitación estaba insonorizada.) Tras un instante de vacilación, Cabo flexionó las piernas, tomó impulso y dio un salto selvático. Musa se arqueó, golpeando con el hombro un espejo en forma de sol que colgaba de la pared, al tiempo que alzaba una rodilla y soltaba un aullido extrañamente realista. Cabo descubrió entonces que, al saltar, había aterrizado sobre uno de sus pies descalzos. Percatarse de aquella inefable torpeza extinguió su energía por completo, de cabo a rabo y de rabo a cabo. Y otro detalle: el suelo del dormitorio –ahora se fijaba– se hallaba decorado aquí y allá con huellas blancas de pies y líneas rojas y verdes, como los planos sobre los que aprenden a moverse los bailarines. En la esquina en que se encontraban ambos podían apreciarse dos pares de huellas enfrentadas: Musa pisaba, casi exacta, un par, pero las plantas de Cabo reposaban completamente fuera de las que, acaso, les correspondían. «Por eso la he pisado», pensó, y se movió para corregir el fallo. Al levantar de nuevo la vista, observó por casualidad el espejo que ella había golpeado.

Y sorprendió al hombre.

Se hallaba a su espalda, asomado tras uno de los biombos. Sostenía pluma y cuaderno y tomaba notas mientras contemplaba a la pareja. Su brazo derecho parecía sufrir una crisis epiléptica de inspiración. De sus labios colgaba un hilo de saliva. No se trataba de aquel a quien Cabo apodaba «Cara Fofa» sino de otro, no menos repugnante, sin embargo: de pelo blanco cortado a cepillo, mandíbula prominente y ojos diminutos y bestiales. Su mirada era una enciclopedia de la crueldad. Jamás (podemos asegurarlo) se había sentido Cabo más ridículo en toda su vida. Se volvió hacia el hombre, que, al darse cuenta de que había sido descubierto, desapareció tras el biombo. Cuando retornó a Musa, comprobó que ésta había interrumpido la actuación y lo observaba pálida y tranquila como un maniquí. Los ojos de Cabo, inundados, hicieron trizas el hermoso semblante de la chica.

–Juan, por favor, sigamos –musitó ella–. No te preocupes por él: es un cliente.

Se preguntó si aquel tipo también había exigido que fuera él, Juan Cabo, quien interpretara el papel del violador, o era idea de la maravillosa Musa Gabbler Ochoa, murmullo, estallido de burbuja y aliento final. «De esta forma, un mismo tío te sirve para dos sesiones, ¿eh?», pensó. La rabia le impedía formar palabras; sus labios se movían en el aire como las manos de un ciego. Dio media vuelta y salió corriendo de la habitación, no sin antes propinarle una fuerte patada al biombo, que tembló de arriba abajo sin caerse, como él mismo. Musa lo llamaba. La ignoró. Regresó sobre sus pasos observando el subrayado rojo. Nadie lo seguía. En un momento dado, miró al suelo y ya no vio la línea conductora. Atravesó paredes amarillas, puertas azules, esculturas rosadas. Aquella casa le asqueaba. «¿A cuántos más habrá invitado a copiar la escena?», se preguntaba. Veía escritores en las tres dimensiones: aplanados bajo la alfombra; cilíndricos, tras las cortinas; esféricos y encaramados como arañas en las lámparas del techo. Los veía camuflados, irisados, teñidos como camaleones, burbujeantes como espejismos, azogados en los espejos, fundidos en el diseño. Escritores que miraban, escritores que escribían, escritores, escritores.

–¡Escritores! –aulló, al mismo tiempo que un diablo barbudo lo gritaba desde una repisa. Cabo cogió un cenicero de piedra y destrozó su rostro (que era el mío, o sea, el de él, el de Juan Cabo) en el pequeño espejo camuflado. Aquel estúpido desahogo lo calmó un poco. Advirtió entonces una puerta doble, la abrió, era el salón. Recogió la chaqueta y las gafas y se largó. En el Madrid nocturno, una luminosa valla publicitaria se erguía sobre los edificios. Cabo la vio desde el taxi. Mostraba el anuncio de Salmerón: el Ojo Escritor. La valla parecía mirarlo a él mientras él la miraba a ella. Recordó que la colección *Madrid en tiempo real* se presentaría aquella misma mañana de domingo en el Parque Ferial, a las doce, y que él tenía la obligación de asistir. «¡Escritores, literatura, ficción, mentiras!», pensaba. Su estado era lo más parecido al del hombre que se vuelve alérgico a sí mismo. Y cuando el taxi se detuvo en un semáforo, aulló (pero no, no lo gritó, sólo lo pensó como un grito; ahora yo me desahogo por él, otorgándole un sonido desgarrador):

–¡FIN DEL CAPÍTULO, ESCRITORES!

IX
LA LITERATURA ES
UN LABERINTO

Dormí mal, me levanté tarde. Era un domingo soleado y algo frío. Me vestí maquinalmente para acudir a la presentación en el Parque Ferial. Después abrí la libreta y anoté «vacía» junto a «perfecta» en la línea de Musa Gabbler. «Perfecta» y «vacía» eran las palabras que mejor la resumían. No me dolía tanto su engaño como el motivo de éste; si lo hubiera hecho para su disfrute personal no me hubiera importado, pero que lo hiciera por su trabajo resultaba denigrante. Ahora ya me daba todo igual. El hipotético falsificador de cuartillas, el supuesto asesino de Grisardo..., todo me traía sin cuidado. El lunes llamaría a Neirs para decirle que dejara el caso. Ya sabía lo que quería saber: quién era ELLA. Y mejor hubiera sido, concluí, si no lo hubiera sabido nunca.

El sol arañador y el torrente de viento frío que penetraba por la ventanilla del taxi hicieron que me sintiera mejor. La entrada sur del Parque Ferial asemejaba una gloria pequeña: banderines agitándose como alas de ángeles; fanfarria de coches y autocares; policías resplandecientes; periodistas enarbolando cámaras y micrófonos plateados. Era como entrar en Camelot. De forma absolutamente imprevista, aquella visión me reanimó.

En el interior del vasto recinto reinaba ambiente de aeropuerto. El espectro científico del aire acondicionado me estremeció. Letreros azules colgados del techo promovían un bilingüismo equitativo: Entradas, *Tickets*; Acreditaciones, *Registrations*. Flechas y símbolos lógicos desafiaban la inteligencia abstracta. MADRID EN TIEMPO REAL, LA LITERATURA DEL NUEVO MILENIO, se leía en una inmensa pancarta situada detrás de los mostradores. Flotaban los flases en la distancia como una tormenta de juguete. Las azafatas, anguilas en azul sonriente, se deslizaban aquí y allá, portando papeles y peinados. Una de ellas me colocó un adhesivo en la chaqueta con las frases publicitarias de la colección.

El vestíbulo estaba abarrotado. La gente alzaba la mano ejercitando ese acto de juramento social que es el saludo a distancia: «Hola, juro que desearía hablar contigo, pero ahora no dispongo de tiempo». Algunos individuos se detenían para interesarse por mi salud. Mi amnesia no me permitió reconocerlos, y «bien» y «gracias» se convirtieron en las palabras que más veces pronuncié durante todo aquel vagabundeo. En cambio, identifiqué a varios escritores muertos. Estaban mezclados con los vivos, y sólo se diferenciaban por el traje de época y el libro que llevaban bajo el brazo. Deduje que constituían parte de la promoción publicitaria: pobres diablos disfrazados de celebridades. La confusión surgía, inevitablemente, con los más modernos. Dante, Quevedo y Balzac, por ejemplo, no ofrecían grandes problemas de reconocimiento. Pero a partir del siglo XX todo se volvía más difícil. El libro se convertía en la única pista, de modo que no era raro que el escritor en cuestión pasara desapercibido hasta que se acercaba lo bastante como para que el título de su obra resultara legible. De esta forma, sólo un codazo casual del hombre que portaba *Trópico de Cáncer* me hizo advertir la presencia de Henry Miller. Albert Camus me alcanzó, muy solícito, un folleto de la presentación, y en ese momento detecté *La peste* en su mano izquierda. A Borges le recogí sus *Ficciones*, que dejó caer a mi lado. Con Kafka tropecé dos veces: el actor que lo interpretaba, muy joven, se abanicaba con *El proceso*. El colmo del absurdo era Pirandello: se trataba de un viejecito calvo que aferraba *Seis personajes en busca de autor*, pero que no se cansaba de repetir que se llamaba Jacinto Díaz, profesor de literatura, y que su parecido físico con Pirandello y el libro eran pura casualidad. Naturalmente, todo el mundo sospechaba una ingeniosa mentira, y el viejo (que, en mi opinión, decía la verdad) empezaba a irritarse.

Lo más curioso era que no lograba aislar a los escritores «de verdad». Mejor dicho, que no había nadie que no pareciera serlo. Azafatas, camareros, vigilantes de seguridad, niños, ancianos... todos ocultaban, sin duda, un escritor de incógnito. Fue delirante percibir esta igualdad, como el loco que de repente comprende que nadie se diferencia realmente de nadie. Incluso los falsos, los disfrazados de autores célebres, daban la impresión de sobrellevar uno verdadero bajo el maquillaje, aunque más mediocre que el de superficie. La sala estaba atestada de literatos en ciernes. Los había que cantaban, juzgaban, construían casas, oficiaban misas o toreaban, pero todos, alguna vez, habían redactado un poema, un relato, un diario personal más o menos enaltecido de frases felices. La humanidad era novelista.

Un pequeño alboroto distrajo mis reflexiones. Se había improvisado una rueda de prensa en el vestíbulo. Creí escuchar la poderosa voz de Salmerón y me acerqué.

Supuse, en efecto, que se trataba de mi editor, porque ante mis ojos apareció el hombre más formidable y truculento que había visto en mi vida. No hubiera necesitado recobrar la memoria para saber, sin ningún género de dudas, que aquella figura era excepcional por derecho propio. Semejaba una montaña: alto (calculé más de 2 metros), almenado por hombros inmensos, de nevado pelo peinado hacia atrás, se alzaba cómodamente sobre el cerco de micrófonos y casetes que los periodistas trataban en vano de acercar a su inaccesible rostro como niños ofreciendo sus caramelos a papá. Los ojos, estampados en la cima de una frente arrugada, eran blancos como ropa puesta a secar bajo los párpados. La piel, tostada, poseía cierta cualidad paquidérmica: gruesos repliegues en la papada y en la nuca; bolsas grisáceas en las mejillas; orejas largas y oscuras como filetes demasiado hechos, de lóbulos colgantes. Su atuendo parecía una primavera marciana: traje fucsia, camisa añil y pañuelo de seda rojo estampado con rosas blancas.

–Mis queridos amigos –decía–, permitidme que me convierta en profeta por un instante. El nuevo milenio está a punto de comenzar, y me gustaría explicaros cuál creo yo que será el futuro de nuestra hija mimada, la novela.

Su discurso fue extraño y majestuoso como él mismo. Comenzó diciendo que la novela del pasado había pertenecido al protagonista, al héroe, al Quijote y a Ana Karénina. En la actualidad, pertenecía al autor. Hoy no se hablaba tanto de personajes como de escritores célebres. Pero la novela del futuro daría un paso más allá. El mundo había cristalizado en un laberinto; la realidad era compleja, difusa, inabarcable... ¿Quién podía pensar que estas grandes figuras que hoy nos acompañaban (se refería a los escritores de la historia, a los monigotes disfrazados que se habían reunido detrás de él como una cohorte de cadáveres atentos) iban a seguir cimentando la literatura del porvenir? No: el nuevo milenio sería demasiado abstruso, caótico y matemático para la comprensión de un solo hombre. La novela del futuro pertenecerá al Editor. Así, con mayúsculas:

Editor. Pero no nos engañemos –afirmaba–: no al editor en cuanto creador sino en cuanto «organizador». Estudios de mercado, diseño informático, publicidad... Todo esto será la verdadera novela (de hecho, ya era así en gran medida), y sobre el editor recaería la responsabilidad de coordinar aquel ingente trabajo. La literatura regresaría a sus remotos orígenes: volvería a ser anónima, «pero no labor de uno solo sino de muchos».

–Todo el planeta, mañana, será Nueva York –sentenció–. Y en cada ventanita iluminada de cada hormigueante rascacielos de esa Nueva York mundial crecerá un escritor. Imaginaos. Billones de ellos. Porque los escritores de la antigüedad podían permitirse el lujo de ser cisnes solitarios, pero ahora son legión, como el demonio bíblico. Pertenecen al enjambre, a la plaga...

Hubo risas y Salmerón hizo una pausa. Fue entonces cuando distinguí al hombre que llevaba *Hamlet* bajo el brazo.

Se apoyaba en uno de los mostradores de registro, a pocos pasos de donde yo estaba, y era una de las peores creaciones del maquillador de la fiesta. La calva consistía en un casquete de plástico perfectamente visible. La oscura melena era, sin duda, original, pero más hubiera valido que no lo fuera, por el estado de suciedad y abandono en que se hallaba. Hasta la perilla y el bigote resultaban ridículos: manchas de carbón dibujadas en el rostro.

Pero lo que más me llamó la atención de aquel Shakespeare desastrado fue la certidumbre de que yo conocía al individuo que lo encarnaba.

Mi memoria guardaba como un tesoro la imagen de las personas que apuntaba en mi libreta. Aquel tipo –lo supe de repente– era uno de los que había visto en los últimos días.

Entonces, mientras mis ojos acumulaban datos sobre su figura, los suyos se fijaron en la mía. Hubo algo así como una turbación mutua, pero su inquietud pareció mucho mayor. Desvió la mirada al tiempo que intentaba deslizarse, subrepticiamente, fuera de mi campo visual. Aquella sospechosa retirada me intrigó. Torcí la cabeza para no perderlo de vista, pero en ese instante Homero (un gordo que se rascaba la axila con la mano con que sostenía la *Odisea* y entrecerraba los ojos fingiendo ceguera) se interpuso entre ambos y lo eclipsó.

Salmerón había reanudado el discurso. En la seguridad, decía, de que la novela, como las actividades de empresa, constituiría una labor en equipo, una sesión de *brainstorming* de la fantasía, un cónclave de musas en trajes de ejecutivo, Salmacis Editorial se complacía en presentar...

Sonó un disparo. Hubo un fogonazo. Después, gritos y movimiento. ¿Qué ocurría? ¿Terrorismo literario? ¿Una sorpresa festiva? Ni lo uno ni lo otro: había estallado una bombilla en algún lugar, una de las lámparas de las mesas de registro. Con el alboroto, ya no vi a Shakespeare por ninguna parte. La gente se aglomeraba a mi alrededor impidiéndome cualquier movimiento.

Salmerón sonrió, complacido con el susto:

–Tengo el gusto de presentaros *Madrid en tiempo real.* ¿Qué es?, os preguntaréis. Pues ni más ni menos que la primera novela de la historia escrita por *casi un centenar* de autores... –Se desataron murmullos. Por lo visto, nadie esperaba semejante información–. Así es, amigos: una novela. O, más bien, la primera parte de lo que será, sin duda, la novela del futuro. Como todas las grandes obras clásicas, comienza con el «érase una vez», el tiempo y el espacio de la acción: 13 de abril de 1999, a las 8 de la noche, en Madrid. –La mención de aquella fecha me sobresaltó. Escuché con renovada atención–. Decenas de escritores se han dedicado, durante esa única noche, a observar la ciudad desde diversos puntos y registrar los sucesos, nimios o importantes, que en ella han tenido lugar. Cada libro abarca 12 horas: hasta las 8 de la mañana siguiente. Ésta es, pues, la primera entrega. En poco tiempo aparecerá la segunda, con la descripción del personaje protagonista. Entonces vendrán los personajes secundarios. La novela irá surgiendo a golpes de azar, como la vida. Estará escrita a ciegas. Siempre soñé con editar una novela a ciegas. –Las carcajadas premiaron aquel curioso cinismo–. ¿Alguna pregunta, amigos? –Hubo una avalancha. Salmerón sonreía con aires de cofre cerrado–. No puedo adelantaros más. Eso sí, os diré que en Salmacis nos hemos fijado un objetivo primordial: que la creación sea rápida y, al mismo tiempo, perfecta. En nuestra época, la rapidez no debe estar reñida con la maestría. Y ahora, si queréis, pasaremos a...

–¿Cuándo aparecerá el protagonista? –inquirió una de las voces desde el bosque de brazos alzados.

–Dentro de muy poco, os lo aseguro. El autor designado ya está trabajando en ello. Y no se tratará de un personaje simple: os encontraréis con una verdadera creación literaria, un individuo real, de carne y hueso, lleno de detalles humanos...

–¿Será hombre o mujer?

Por la forma en que Salmerón sonrió, dio la impresión de que quería morder el aire.

–No puedo decirlo. Pero os aseguro que será perfecto. Y ahora, si tenéis la bondad de acompañarme...

Se apartó de los micrófonos y la rueda de prensa se deshizo. Todos corrían hacia la sala de exhibición. Intenté no quedarme atrás. Aquel absurdo discurso había despertado mi interés.

Atravesamos un amplio pasillo al aire libre flanqueado de tuberías y ventanas redondas como un transatlántico de lujo. Puertas de hangar permitían el acceso a la gigantesca sala, de techo cuajado de barras de metal y luces, como unos estudios de cine. El frescor y la sombra erizaban la piel; los focos hacían parpadear.

Pero la exhibición de libros era lo más increíble. Ni siquiera las hiperbólicas palabras de Salmerón habían preparado al público para aquel decorado.

Bajo la vigilancia del Ojo Escritor se extendía un gigantesco plano de la ciudad de Madrid.

Ocupaba casi la mitad del suelo, más de 60 metros de largo de un extremo a otro. Encima de las calles, de los jardines dibujados, de las plazas y monumentos célebres, se hallaban los libros, encuadernados en tapas negras sin ilustraciones y reunidos en columnas o muros, como otra ciudad de ladrillos negros y páginas blancas alzada sobre la primera. Cada volumen se hallaba situado sobre el lugar que describía. Si éste era relativamente amplio o interesante, los libros se arracimaban como hormigas sobre una semilla pesada. Las carreteras perdidas, los extrarradios y las urbanizaciones residenciales contaban apenas con un ejemplar solitario en medio de un amplio vacío. Cordones de museo rodeaban aquel insólito espectáculo. Era una visión fascinante.

–Por supuesto, no están representadas todas las calles –explicaba un empleado de la editorial–. Tampoco todos los barrios. Hubiera sido imposible.

–Ése de ahí es mío. –Un individuo bajito con gafas gruesas señalaba un volumen disperso en la zona de Legazpi–. Doce horas viendo a la gente pasar y escribiendo mis impresiones... ¡Una jornada memorable!

–¿Y la fecha de las descripciones es siempre el 13 de abril? –pregunté.

El empleado de la editorial y el individuo bajito asintieron.

La noche de mi accidente. La noche en que comenzó todo para mí. Observaciones sobre lo sucedido en diversos puntos de la ciudad.

Una idea se abría paso en mi cerebro con obstinada violencia.

Me acerqué al cordón de seguridad y me asomé de puntillas. El plano era fácil de rastrear, de colores y contornos precisos. No tardé en localizar la pequeña calle cercana a Alcalá donde se hallaba el restaurante La Floresta Invisible. Mi corazón era un tambor de pesados mazos. Sí, allí estaba, y había un solo libro sobre ella...

–Perdone. –Me dirigí al empleado–. ¿Cómo puedo examinar uno de los libros de la colección?

–Hombre, depende. Algunos los tenemos a disposición del público, en aquellos mostradores. –Indicó la otra mitad del salón, donde se aglomeraban azafatas y mesas–. Pero todos, lo que se dice todos, sólo en el mapa. ¿Qué ejemplar desea en concreto?

Lo señalé, pero el hombre no se enteraba. Mencioné entonces el nombre de la calle, y el tipo se alejó en dirección a los mostradores. Me quedé contemplando aquel punto negro y lejano, aquella isla en medio del oleaje de calles pintadas. ¿Quién sería el autor? Daba igual. Quienquiera que fuese, rezaba para que sus palabras no me traicionaran, para que derrotaran mi amnesia y constituyeran mi memoria perdida, mi solapa. «Una solapa, una solapa, mi reino por una solapa», pensé. Recordé entonces al individuo que hacía de Shakespeare y me pregunté por qué me parecía tan importante averiguar su identidad. Lo busqué en vano entre la muchedumbre.

El empleado regresó meneando la cabeza. Lo

sentía mucho, aquel ejemplar no estaba en los mostradores.

–¿Y no sería posible cogerlo del mapa?

–Oh no, señor Cabo. Los libros del mapa están destinados sólo a exhibición. Pero no se preocupe: tendremos mucho gusto en enviarle uno a su domicilio.

Se lo agradecí; se alejó sonriente. Sin dudarlo un instante, alcé un pie, luego el otro, y atravesé la barrera acordonada.

«Es una locura –pensé–. Pero todo ha sido una locura desde que encontré ese párrafo en la libreta.»

Al principio mi timidez no puso objeciones: nadie se había percatado del delito. Comencé a avanzar hacia mi objetivo con la prudencia de un soldado en un campo de minas. La empresa se me antojaba muy semejante a desplazarme por el verdadero Madrid a determinadas horas: caminos bloqueados, densa lentitud, vacilaciones sobre la dirección a seguir... Las filas de libros edificaban un verdadero laberinto y yo debía elegir el mejor sendero para evitar tocarlos con el pie (lo que menos deseaba era ensuciarlos). Desde mi estratosférica altura distinguía nombres de autores y títulos, pero no tenía tiempo de saber qué zonas habían inmortalizado con sus plumas. Lo único que me importaba era no pisarlos.

No sé cuánto trecho recorrí hasta darme cuenta de que todo el mundo me observaba. Creo que me hallaba en Moncloa, o había alcanzado ya Princesa. Percibí entonces el novísimo silencio, la extinción de los ecos, el calor de las miradas que me oprimían sin tocarme. No quería alzar la vista, pero lo hice. Escritores verdaderos y falsos, dispuestos alrededor del cordón de seguridad, contemplaban mis evoluciones con el detenimiento y la seriedad de lápidas de cementerio. Hasta Homero se había puesto a observarme con ojos desmesurados, abandonando todo intento de fingir ceguera. Atrapado con un pie de puntillas sobre Callao y otro encajado en Princesa, erguido sobre los libros, yo no podía hacer otra cosa que sonreír, y mi mueca otorgó –creo– mayor ambigüedad a la aventura. Parte del público me devolvió la sonrisa, como si sospechara una inmensa broma. Incluso escuché débiles amagos de aplauso.

Finalmente llegué a la meta y extendí el brazo en medio de un silencio tal que me pareció que me sumergía en un lago.

El regreso resultó más fácil: había recuperado la seguridad en mí mismo. Cuando salté el cordón, el tiempo volvió a transcurrir. Avancé un poco cohibido, aferrando mi botín contra el pecho. Me sentía orgulloso de mí mismo. Por primera vez había conseguido hacer algo sin pensarlo previamente, siguiendo el impulso de mi corazón. Había logrado dejar de razonar por un instante. Y de inmediato me sentí feliz. Intranquilo, pero feliz.

Por supuesto, esperaba una reprimenda. Y allí estaban, aguardándome, dos empleados de la editorial y dos vigilantes de seguridad.

—Lo siento, señor Cabo. No puede llevarse un libro de la exhibición.

—No pretendo llevármelo. Simplemente voy a consultarlo.

—Pero...

—¡Juan!

El trueno había restallado a mi espalda. Salmerón, que había sido guiado hasta mi presencia, se erguía entre la luz y yo como un eclipse. Sus ojos temblaban de ceguera y alegría.

—¡Juan, hijo, qué bueno que hayas venido! Eres tú, ¿verdad? —Y extendió la manaza y tocó mi rostro con la punta de los dedos, como si tecleara sobre mí, o como si mi piel fuera un Braille que él pudiera descifrar. Su palma estaba fresca y olía a perfume de mujer. Mientras me tocaba decía—: Ah, mi Juan, mi Juan Cabo... Mi querido Juan Cabo... —Buscó mi hombro, se apoyó y empezamos a caminar juntos, abrazados. Los empleados se apartaron con una reverencia. La voz de Salmerón parecía surgir de su pecho (a la altura donde quedaba mi oído)—. Me han contado lo que acabas de hacer... No hay nada como pasar con éxito por encima de los libros de los demás para que la gente te admire, ¿eh, hijo? —Lanzó una risotada—. Confío en ti, ya sabes que confío mucho en ti... Te parecerá que has hecho una tontería: has cogido un libro de la exposición, y ya está. Pero es tu decisión lo que cuenta. El impulso. El arrojo. Te felicito.

No sabía por qué me decía todo aquello, pero de cualquier manera se lo agradecí. Me preguntó por mi salud.

–¿Sigues sin recordar nada? –inquirió. Y cuando respondí que así era–: Bueno, no desesperes... ¡Paciencia! Estas cosas suelen resolverse bien. Pero si notas algún cambio, no dejes de comunicármelo. Ya sabes cuánto me preocupo por ti. –Sonrió y me dio una última palmada. Pensé que su perturbadora presencia había servido, al menos, para que pudiera llevarme el libro sin problemas.

Me alejé con dificultad de la órbita salmeroniana y encontré un sitio tranquilo junto a las cabinas telefónicas, al fondo de la sala. En la portada del volumen sólo venía el nombre de la calle y el de la autora, que era Rosalía Guerrero, una anciana cuya celebridad provenía –así afirmaba la solapa– de las novelas de su popular detective Braulio Cauno. Rosalía vivía en un edificio frente a La Floresta Invisible, circunstancia que la editorial había aprovechado para encargarle la descripción de aquella calle. La coincidencia, pensé, no podía ser más afortunada.

El libro constaba de 50 páginas. Se dividía en dos partes que representaban las dos únicas horas cubiertas: de 8 a 9 y de 9 a 10 de la noche. Finalizaba, pues, a las 10 de la noche del 13 de abril (no a las 8 de la mañana siguiente, como las demás obras), y la editorial pedía disculpas por la ausencia del resto del texto, que –anunciaba– sería publicado «próximamente». Me angustiaba la posibilidad de que el acontecimiento que me interesaba hubiera sucedido después de las 10.

En La Floresta abrían a las 9, de modo que era absurdo leer la primera parte. Lo que había, si es que había algo, tenía que haber sucedido en la segunda. Me apoyé junto al teléfono, acerqué el libro a la luz de la cabina y comencé a leer. Las descripciones eran precisas. Sentí que mi corazón se aceleraba.

Guerrero hablaba de coches yendo y viniendo, de ventanas apagándose y encendiéndose, de gente que entraba y salía de los comercios. Tomé aliento y contuve la respiración.

Un hombre robusto, cabezón, con patillas blancas y unas gafas enormes, se desliza como una sombra hacia el interior de La Floresta Invisible.

La descripción parecía clara: tenía que ser Modesto Fárrago, que habría llegado a las 9 en punto. Reconocí después la llegada de Gaspar Parra («calvo y estirado») y del hombre de la cara fofa («complexión robusta y traje gris»). Entonces, en el siguiente párrafo:

Un taxi se detiene frente al restaurante. De él se baja una joven singular.

Interrumpí la lectura y cerré los ojos. Estaba tan nervioso que pensé que iba a desmayarme. Debe de referirse a Musa, razoné. Según su propia declaración, ella había llegado antes que yo. Sin embargo, cabía la posibilidad de que me hubiera mentido, o de que, simplemente, se hubiera equivocado al recordar. Reuniendo fuerzas, proseguí.

La noche y las farolas la dibujan un momento antes de entrar en el restaurante. Lleva un vestido negro muy breve que le desnuda la espalda. Sus largas piernas son de ensueño. Es una figura hermosa, irrepetible. Parece una modelo. Lo es, sin duda.

«Lo es, sin duda». Toda la ansiedad que había estado sintiendo hasta ese momento se desplomó a mis pies como una bandeja de cristales frágiles. La cara me ardía. Musa no me había engañado, por tanto: aquella noche había estado en La Floresta. Continué la lectura sin esperanza, cada vez más seguro de que ya había averiguado todo lo que necesitaba saber. Ocho páginas más allá llegaba yo. Rosalía apenas me dedicaba dos líneas.

Un Opel oscuro estaciona en la acera. Se baja un tipo bajito y barbudo, con gafitas, de aspecto ridículo. Entra en el restaurante.

La cabeza empezaba a dolerme. Mis ojos pugnaban por llorar. Devoré frases, descripciones del vecindario, una pelea callejera, un gato negro hurgando entre los cubos de basura, la calle vacía, nuevos clientes (una pareja de ancianos, una familia), un grupo de jóvenes cantando, el silencio y los coches, las 10 menos cuarto, las 10 menos 10, las 10 menos 5... Perdí la esperanza. El final se aproximaba.

Llegué a la última página sin poder apenas respirar. ¡Nadie ha leído con más ansiedad el final de un libro! Constaba de 10 líneas. Las 3 primeras se dedicaban a comentar el rugido de una moto que pasó a toda velocidad provocando los airados insultos de un probo transeúnte. Entonces, tras un punto y aparte, venían las 7 últimas líneas:

A las 10, otro Opel oscuro estaciona en la acera. Se baja una mujer. Lleva chaqueta negra y bolso. Su pelo castaño claro está recogido en un moño, como el de la chica alta que llegó hace más de media hora. Pero ésta no parece modelo. Antes de entrar en La Floresta se quita el abrigo. Su vestido negro ceñido al cuello le desnuda la espalda. Su figura es... Pero ya no la veo. Ha entrado muy rápido.

Así terminaba el libro de Rosalía Guerrero. Pero para mí comenzaba todo de nuevo. Había *dos mujeres*. Dos mujeres vestidas de forma similar: Musa y ELLA. Yo tenía razón. Grisardo tenía razón. Modesto tenía razón. Cerré el libro, descolgué el auricular del teléfono, introduje unas monedas y marqué un número. Cuando el contestador automático de las oficinas de Horacio Neirs me dejó hablar, dije:

–Señor Neirs: la literatura y yo teníamos razón.

Y me eché a llorar de pura felicidad.

X
LO QUE ESCRIBIÓ
ROSALÍA GUERRERO

Horacio Neirs cogió el teléfono segundos después, y quedamos en vernos en el Parque Ferial aquella misma mañana de domingo. Fueron puntuales. Cuando salí, los divisé junto al aparcamiento: un poste alto y enjuto, un tocón bajo y robusto. El sol se reflejaba en el blanco pelo de Neirs y en los ojos claros de su ayudante. Ambos leyeron el último párrafo del libro de Rosalía Guerrero, y Neirs dijo:

–Este texto podría constituir una solapa fiable, pero debemos asegurarnos. Además, me sorprende que el resto de las observaciones no haya sido publicado. ¿Por qué motivo? Propongo que visitemos a la señora Guerrero. Quizá nos deje leer el manuscrito de las horas siguientes, y sepamos, al menos, cuándo salió esta mujer del restaurante y qué es lo que hizo después.

Me mostré de acuerdo. Neirs pidió que los acompañara, y nos dirigimos a un Audi negro y alargado cuyo interior era completamente blanco. Neirs condujo. El viaje transcurrió en silencio, entre destellos de coches, fragmentos de edificios y rayos de sol. Aproveché para sacar la libreta y apuntar el noveno «Suceso» de mi vida, que resumí así:

9. Búsqueda y laberinto.

Una imagen me asaltó de repente: la figura del individuo que hacía de Shakespeare en el Parque Ferial. Su rostro seguía recordándome a alguien conocido, pero no lograba etiquetarlo. La voz de Virgilio, que hablaba por primera vez aquella mañana, deshizo mi pensamiento:

—Ya llegamos.

Aparcamos frente a La Floresta Invisible. Neirs, que parecía saber con seguridad dónde vivía la escritora, apretó varias veces el timbre de un portero automático. Nadie contestaba. Al fin, un vecino nos permitió pasar. Penetramos en un vestíbulo oscuro y en la cabina verdosa de un ascensor.

—Es raro —comentó Neirs mientras subíamos al tercero—. La señora Guerrero es una anciana y apenas sale de casa. ¿Por qué no contesta?

Aquella simple pregunta bastó para inquietarme. En el rellano, el detective empleó el puño para llamar a la puerta.

—No abre —dijo innecesariamente. Y dirigiéndose a Virgilio—: Vamos a entrar.

El enano, con rápida habilidad, deslizó una

tarjeta o una cartulina gruesa por la cerradura, y la puerta cedió con la fácil sencillez, lector, con que tú pasas las páginas de este libro. El piso olía a oscuridad, si tal cosa es posible o comprensible. No se trataba de buen o mal olor sino de un olor sin luz, que persistió aunque Neirs encendió varias bombillas.

–¿Señora Guerrero?

Paisajes enmarcados, lámparas que imitaban candelabros, mesas camillas con manteles de encaje, fotos rancias: el ambiente revelaba la presencia de una España antigua y clausurada. Pasamos del vestíbulo a la salita de estar, y de ésta al comedor. Todo estaba en silencio. Nadie respondía.

Entonces Virgilio se detuvo.

–¡Espera! ¡Esto es lo MÁS...!

Pensé que había visto algo extraño y mi corazón dio un vuelco. Pero lo único que hacía era rascarse la cabeza con los ojos fuertemente cerrados. Se dirigió a Neirs:

–Sigue tú, Horacio. Ahora te alcanzo. ¿No te importa?

–En absoluto.

Su jefe dio una vuelta completa por la habitación –la enjuta figura reflejándose en las lunas de los armarios barnizados que guardaban la vajilla– y salió. Entre tanto, Virgilio había sacado una especie de calculadora y se dedicaba a teclear. Me incliné sobre él. Comprobé que el aparato no era una calculadora sino una agenda electrónica con un visor verde y amplio. El enano tecleaba palabras. Leí.

El cadáver parecía un signo tipográfico de interrogación en el suelo del comedor. Era Rosalía Guerrero. Tenía la cabeza hundida en el pecho, los brazos cruzados, las piernas flexionadas. Un punto de sangre coagulada a sus pies completaba la macabra figura:

?

Pensé que su crimen era la misteriosa pregunta cuya interrogación dibujaba la infortunada mujer con su propio cuerpo: *¿Quién?*

–Suelo apuntar las ideas que se me ocurren –comentó al percibir que yo lo había estado mirando–. Y este chisme es UTILÍSIMO. ¿Usted no usa agenda electrónica?

Le dije que no. Me miró con repentina suspicacia, como si mi negativa ocultara un ligero desprecio hacia sus palabras, pero enseguida sonrió.

–¡Me encantaría publicar en Salmacis! –dijo mientras guardaba la agenda en la chaqueta–. ¿Sabía usted que es la editorial MÁS grande del mundo? ¿Y que Salmerón es el editor MÁS poderoso? ¿No me cree?... Usted piensa, claro, que esto es España, no Estados Unidos, ¿no es cierto? –Yo no pensaba nada en concreto, aunque sospechaba que a Virgilio no le interesaba mi respuesta. Prosiguió–. Pero hoy día las fronteras las marcan las multinacionales. Salmacis pertenece a un grupo editorial mucho MAYOR, y éste, a su vez, a otro MAYOR, y así sucesivamente... Un juego de cajas chinas, ¿comprende?... ¿Y detrás? Alguien invisible que lo controla TODO... Siempre igual. Usted cree que piensa con libertad, yo creo que pienso con libertad, pero ambos nos equivocamos: en realidad pensamos y hacemos lo que ese ser invisible nos ordena... Amigo mío, así funciona la vida. Somos simples personajes.

Las palabras del enano (o el vetusto silencio de la casa) me amedrentaban. Entonces sonrió, cambió de tono (sus ojos, sin embargo, seguían helados y azules).

–¿Ha leído lo que he escrito? ¿Cree que tengo posibilidades?

–¿De qué? –dije.

–De tener la misma suerte que usted: publicar en Salmacis.

–Por supuesto –me apresuré a contestar.

–A mí me surgen las ideas así... Fue entrar en este comedor y ver a la pobre señora Guerrero en el suelo...

Alabé su fantasía. De hecho, el párrafo del cadáver con forma de interrogación me parecía bueno. No obstante, no dejaba de ser de pésimo gusto imaginar a la anciana escritora de aquella guisa y en aquel preciso momento. Peor aún: no me parecía muy improbable que tal ficción se hiciera, de repente, una espantosa realidad. Me sentía inquieto desde que habíamos invadido el silencioso domicilio. «El falsificador ha llegado antes –pensaba–. Ahora la encontraremos muerta, con las tapas de una de sus novelas de Braulio Cauno sobresaliendo de entre sus labios...»

De pronto oímos la voz de Neirs:

–¡Oh, señora Guerrero!...

Nos precipitamos hacia el pasillo. Dejé que Virgilio se adelantara: tenía miedo de lo que sabía, o sospechaba, que íbamos a encontrar. «¿Horacio?», llamaba el enano. «Aquí estoy, Virgilio.» Pese a que casi siempre resultaba imposible captar emociones en el tono de voz de Neirs, en aquel momento podría decirse que revelaba ansiedad. Hablaba desde una habitación al fondo del corredor. Era un dormitorio agobiado por el olor a alcohol y a fluidos orgánicos. La única luz procedía de una lámpara de mesilla de noche con la tulipa ladeada, pero era más que suficiente para advertir el cuerpo que yacía en el lecho. Estaba cubierto, de la cabeza a los pies, por cuartillas en blanco, arrugadas unas, otras tersas. Entre los papeles posados en la almohada despuntaba la medusa muerta de unos cabellos casi tan blancos como ellos. Las hojas esparcidas por el oscuro parqué componían con éste un disparatado tablero de ajedrez. Neirs se hallaba de pie junto a la cama.

–Oh –dijo Virgilio–, ¿es ella?

Antes de que el detective pudiese contestar, la mortaja de papeles, con un ruido de otoño violento, se removió.

–Dejadme en paz, cabrones –dijo la mujer, deshojándose.

Tras una ducha y dos tazas de café, la señora Guerrero pudo empezar a hablar con cierta coherencia. Yo tuve que encargarme de las labores prácticas, porque Neirs se dedicó a mirar libros en la biblioteca de la escritora y Virgilio a teclear en su agenda. La anciana se dejó hacer: incluso colaboró quitándose el sucio camisón. Por fin, envuelta en una bata, las canas recogidas con una pinza y la segunda taza de café temblando en la mano, sus ojos azules se encendieron de humanidad. Sin embargo, no perdió el olor a alcohol. Más tarde escribí, bajo «Personas»:

13. Rosalía Guerrero: anciana, alcohólica.

Nos sentamos en el despacho, junto a su vieja máquina de escribir color naranja (ella la llamaba «la naranja mecánica»), rodeados de libros, papeles y fotos. Era como encerrarnos dentro de su cerebro.

–Quiero morir –dijo–. ¿Por qué no me han dejado morir?

Resultaba evidente que se había emborrachado, pero ella ignoraba cuánto tiempo llevaba acostada bajo la sábana de cuartillas –quizá horas, o días enteros–, incapaz de comenzar la novela en que, por fin, mataría a su personaje. Braulio tenía la culpa, afirmó. Llevaba más de cuarenta años con él. Cuarenta títulos protagonizados por Braulio Cauno, un hombre pálido y cruel que enamoraba a todas las mujeres y se burlaba de todos los hombres, un personaje sin sentimientos, o con sentimientos muy suyos, apartado de la ingenua imagen del detective heroico pero también del estereotipo de hombre sin escrúpulos. Braulio Cauno, que había hecho las delicias de los lectores durante casi medio siglo. Demasiado tiempo para un solo hombre, aunque fuera imaginario, aseguraba Rosalía. Ahora, cuando había llegado el momento de escribir la última novela de Cauno, ella deseaba compartir su suerte.

—Amo a Braulio —declaró—. Lo amo como no he amado a ningún hombre que haya conocido jamás.

Neirs, oportunamente, la dejaba hablar. La escritora no pedía explicaciones sobre nuestra presencia: sólo quería ser escuchada.

Se había casado dos veces, dijo. Su primer marido, previsible y aburrido, tuvo el detalle de fallecer pronto. En cuanto al segundo, un empresario, había resultado la imagen opuesta del anterior: arriesgado, ambicioso, entrenado en la sorpresa..., pero, por desgracia —añadía ella—, demasiado acostumbrado a mandar y ser obedecido. «Tengo el dinero suficiente para retirarte, Rosalía», le dijo un mes después de la boda. «No te hace falta escribir. Puedes dejar tus novelas ahora mismo.» A ella, aquel comentario se le antojó una orden. Esa misma noche comenzó una nueva novela de Braulio Cauno, y lo primero que hizo fue matar a su esposo.

—Les juro que fue así —sonrió—: me senté ante la «naranja mecánica» y lo despaché en el primer párrafo. Recuerdo que comencé de esta forma: «El cadáver apareció flotando en el río. Era un hombre de unos 50 años, de pelo gris, bigote...», etcétera. Se trataba de la descripción física de mi

144

marido, por supuesto. Y añadí: «Le habían hundido un cuchillo en el vientre y le habían arrancado los genitales». –Palmeó divertida con sus manos nudosas–. ¿Qué les parece esto de ser escritora? A la tercera frase ya lo había castrado. Por cierto que el asesino, en la novela, era la esposa del muerto. Braulio Cauno se acostaba con ella.

Virgilio se divirtió mucho con aquella anécdota, y sacó la agenda y comenzó a teclear. La señora Guerrero torció el gesto.

–Después le pedí el divorcio. Y pueden estar seguros de que si alguien lo hubiera descuartizado, como ocurría en la novela, no le habría dolido tanto. Hay hombres que se dejarían dar de patadas en los huevos sólo para demostrar que los tienen, pero lo del divorcio fue una patada en su machismo, y eso no me lo perdonó...

Sus ojos se humedecieron de repente, como esferas de hielo junto a una hoguera. Nos dijo que Braulio, a diferencia de sus dos maridos, era un hombre *de verdad*, «creado por una mujer, a su imagen y semejanza». Habían envejecido juntos y compartido los frágiles tesoros de la soledad, también el dolor y el vacío. Ahora tenía que matarlo, y ella no quería sobrevivir.

–¿Por qué tiene que matarlo? –pregunté.

Me dedicó una mirada implacable.

–Porque, en el fondo, lo odio. Porque estoy harta de esta vida mentirosa. ¿Saben lo que significan cuarenta años de ficción? ¡Con mis libros podría elaborarse mi ataúd! ¡Estoy enterrada en hojas! Las hojas me rodean por todas partes, suaves, incoloras, repletas de fantasía...

Esta última frase hizo que Neirs, Virgilio y yo nos miráramos. Pero la anciana proseguía, con voz de delirio:

–Hojas que se deslizan sobre el aire, ingrávidas, ficticias...

Sus ojos brillaban como si contemplaran una lenta caída de cuartillas. Pero su expresión era dulce, casi alegre, como la de una niña que nunca hubiera visto nevar.

–Señora Guerrero –dijo Neirs con suavidad–. ¿Recuerda lo que escribió para la novela *Madrid en tiempo real*?

La anciana se levantó de repente, rápida como una liebre, y empezó a buscar por toda la habitación.

–Estoy segura de que aquí había una botella. ¿Dónde dejé...?

–Señora Guerrero...

–¡No hay una gota de alcohol en esta puta casa! –gritó–. ¡Quiero morirme!

En ese momento me levanté y la cogí de los brazos.

–Déjeme –gimió, observándome con desprecio.

Decidí hablarle con calma, como un hijo hablaría con su madre enferma.

–Señora Guerrero: necesitamos leer el resto de las observaciones que realizó desde esa ventana –señalé la ventana del despacho–, la noche del 13 de abril, ¿recuerda? ¡Su participación en la novela *Madrid en tiempo real*! ¡Se lo pido por favor, señora!... ¡Queremos encontrar a una persona mencionada en esos papeles!... ¡Ayúdenos!...

–No puedo –dijo tras un silencio.

–¿No puede? ¿Por qué?

Y ella, parpadeando:

–Braulio no quiere. Él mismo se lo dirá. –Alzó la voz–: ¡Braulio, ven un momento, por favor!

Braulio Cauno entró en la habitación. Sus pisadas resonaban como campanadas fúnebres.

–Rosa –dijo, y sentí escalofríos, como siempre que me habla–, ¿quiénes son estos caballeros? ¿Tengo el gusto de conocerlos?

La señora Guerrero dejó de escribir un momento y volvió la cabeza hacia nosotros.

–He olvidado sus nombres, señores –dijo–. Por favor, repítanlos. Tengo que presentarles a Braulio.

La escena se me antojaba tan absurda, tan extraña, que no me atreví a intervenir. Horacio Neirs, sin embargo, parecía encontrarse en su elemento. Cuando la anciana, después de llamar a su personaje en voz alta, se había apartado de mí y se había sentado ante la máquina de escribir, el detective nos había indicado con gestos que no la interrumpiéramos. Rosalía Guerrero tecleó el párrafo anterior con un pulso mucho más firme de lo que presagiaban sus temblores. Nosotros, congregados tras ella (Virgilio alzándose de puntillas), leímos la aparición de su personaje. Ante la petición de la anciana, Neirs tomó la palabra.

–Dígale que somos unos amigos, y que queremos pedirle un favor.

–Dígaselo usted mismo –murmuró Rosalía, mirándolo–. Pero no lo enfade, se lo suplico. Tiene un genio...

Neirs se inclinó sobre el papel, carraspeó y habló en voz alta y clara. Mientras ella tecleaba su respuesta, el detective me pidió por señas que continuara con la «conversación». Después se acercó a las estanterías atiborradas de papeles y libros, que se hallaban detrás de la escritora, y empezó a registrarlas sin hacer ruido. Virgilio lo ayudó con las inferiores. En cuanto a mí, me concentré en el texto que mecanografiaba Rosalía.

Comenzó un misterioso diálogo a tres voces. No lo recuerdo todo, ni con las mismas palabras, ni en el mismo orden en que fueron dichas (o escritas). Yo hablaba, la señora Guerrero anotaba mi intervención y después tecleaba la de su personaje o la de ella. Braulio Cauno se reveló como un hombre extraño, impulsivo, peligroso aun desde el papel. Sus frases, concisas, carentes de signos de admiración y puntos suspensivos, denotaban agresividad bajo la aparente calma sintáctica. Ni que decir tiene que como personaje se hallaba muy bien construido: me inquietó comprobar que yo quedaba muy por debajo de él en este aspecto, que mis palabras, aunque expresadas en voz alta y con gran sinceridad, se veían desprovistas, al ser escritas, del aura de realismo que rodeaba las suyas (que no eran pronunciadas, que habían sido inventadas por Rosalía).

Como me interesaba prolongar el diálogo (para evitar que ella se percatara del registro que Neirs y su ayudante efectuaban a su espalda), me acomodé a las reglas de aquel juego enloquecedor. Dirigí mis comentarios a Cauno como si éste fuera una persona más en la habitación; rogué y supliqué; me irrité; le pedí disculpas. Cauno, pétreo e inaccesible, se negaba a permitir que Rosalía nos enseñara las observaciones inéditas de su libro. Nunca le gustó, dijo, que aceptara la invitación de Salmerón a participar en *Madrid en tiempo real*. Aducía que Rosa –así la llamaba– no era una escritora realista. «No le agrada asomarse por la ventana y contar lo que sucede fuera.» Yo salía en defensa de la anciana balbuciendo torpes excusas. De vez en cuando ella intervenía, pero era para narrar sus lágrimas, su llanto en primera persona, el amor que sentía por su hombre, a pesar de lo mucho que lo odiaba. El diálogo, entonces, se veía interrumpido por párrafos rectangulares como lápidas, monólogos interiores clavados en el papel como mariposas muertas entre alfileres de comillas: «Basta. Los oigo discutir, y deseo decirle al señor barbudo de las gafas: Basta. ¿Es que no lo comprende? ¡No insista, he nacido para él, para Braulio! Yo soy él, él soy yo. No podemos separarnos, no podemos negarnos el uno al otro, porque eso significaría el fin de ambos. ¡Por favor, basta! ¡Tengo que hacer lo que Braulio diga!». Pero a pesar de ello yo insistía, porque sospechaba que, en parte, Rosalía deseaba que lo hiciera.

En un momento dado sucedió algo. Cauno dejó de responder a mis comentarios, ella dejó de escribirlos. El diálogo me exceptuó y prosiguió entre ambos. Era como si yo no existiera, como si yo no estuviera ya en la habitación. Lo único que podía hacer era inclinarme y leer.

–¿Quieres matarme, vieja tonta? –dijo Braulio.

–No, no quiero, Braulio –dije.

–No quieres pero sí quiero, no quiero pero sí quieres: porque yo hablo cuando tú hablas y tú hablas cuando yo hablo.

–Sí, Braulio –dije.

–¿A qué disimular, vieja estúpida? ¡Estos guiones que colocas para separar nuestras frases son un engaño! ¡En realidad, esto es un monólogo, y lo sabes!

–Sí, Braulio –dije.

–«Dije», «dijo»... ¡Eres tú la que dices siempre, vieja idiota!

–Sí, Braulio. ¡Vieja idiota!

–Sí, Braulio. ¿Lo ves? Somos intercambiables.

–Es cierto, vieja idiota, Braulio.

–¿Te das cuenta, Braulio? Podemos compartir guión, vieja imbécil, igual que los matrimonios comparten cama. Es verdad, Braulio. ¿Por qué no dices a solas lo que piensas? ¿Para qué me necesitas? No sé, Braulio. No sé, vieja idiota. Soy una vieja idiota, ¿verdad Rosa? Sí, Rosa. Soy sólo Rosa, una vieja idiota. Lo que digo lo dice Rosa, lo piensa Rosa. Sí, Rosa.

–Sin embargo, tú prefieres el guión.

–Sí, Braulio.

–¿Por qué, Braulio?

–Porque así Rosa puede amarte, Rosa.

Y tus manos me aferraron su cuello, y Braulio empecé Rosa a estrangularla a Braulio Rosa Brauliorosabrauliorosa brauliorosarosabrauliorosabrauliorosarosabrauliorosabrauliorosarosabrauliorosabrauliorosabrauliorosabrauliorosa

Contemplaba fascinado cómo Rosalía Guerrero desovillaba su interminable, incoherente locura, cuando sentí que alguien me tocaba en el hombro. Era Neirs. Sostenía un cuaderno.

–Ya lo tenemos –dijo en voz baja–. Vamos.

A mí me resultaba cruel abandonar a la anciana en aquel momento, pero Neirs desestimó mis reparos. «Vamos», repitió, apretándome el brazo. Había algo en su expresión que me alarmaba, como si el hallazgo que había realizado fuera particularmente valioso, y decidí obedecer. Salimos en silencio de la habitación y mientras lo hacíamos miré hacia atrás: Rosalía Guerrero continuaba, imperturbable, golpeando con sus índices las teclas de la máquina naranja, el mentón apoyado en el pecho, los ojos cerrados. Cuando pienso en ella, ésta es la imagen que una y otra vez acude a mi memoria. Y vuelvo a escuchar el inexorable picoteo del teclado, y sueño que Rosalía sigue desafiando la eternidad con su palabra impronunciable –BRAULIOROSABRAULIOROSAYOÉLYO ELLAYOÉLYOELLA–, con ese puente lento tendido entre ella y su amor sobre el vacío de la hoja, ese devenir inútil, el esfuerzo vacuo de la escritura, que a mí mismo, ahora, mientras narro esto (que no es novela, ni crónica real, ni diario, ni nada que se le parezca, ya encontraréalgún nombre que lo defina), me espanta y desespera.

—Ah, pero algo debemos agradecerle a la señora Guerrero —dijo Neirs mientras nos dirigíamos al ascensor—. Ya lo tenemos, señor Cabo, por fin. Aquí está. Diminuta, pero aquí está.

—¿Qué? —pregunté, confundido.

Los dos detectives hablaban a la vez, entusiasmados. «Un esbozo de solapa.» «Una solapa minúscula.» «Apenas una sombra, pero aquí está.»

—Léalo. —Neirs me entregó el cuaderno abierto por una de las hojas—. Ahora se comprende por qué la señora Guerrero no publicó las horas siguientes.

Contenía un largo párrafo. Me detuve en la calle a leerlo. La letra era azul y nerviosa. (Sin duda, Rosalía no había tenido tiempo de pasarlo a máquina.) Ya nunca más volví a ser el mismo después de descifrar aquel texto. Todas mis sospechas de los últimos días se veían horriblemente confirmadas. En mi interior se hizo la luz: pero fue el fulgor súbito y mortal de un rayo.

Son las once y media. Acaba de salir del restaurante la mujer del vestido negro, no la que parece una modelo sino la otra. Lleva en la mano algo blanco: una rama artificial de laurel. Cruza la calle, se dirige a su coche... ¡Oh! ¡Ha sucedido muy rápido! ¡El hombre ha salido de la oscuridad, como una pantera, le ha tapado la boca y la ha empujado al interior del coche tras un rápido forcejeo!... La calle está vacía, nadie lo ve... ¡Sí! ¡Alguien más ha salido del restaurante y lo ha visto todo! Es el individuo barbudo de las gafas... Grita algo, intenta impedir que el secuestro se produzca, pero en vano... El coche arranca y se aleja, conducido por el hombre... El barbudo de las gafas se dirige entonces a su propio vehículo... Al parecer, ha decidido perseguir al secuestrador... Pronto, la calle queda en silencio... ¡Dios mío! ¿Quién va a creer a una vieja borracha como yo cuando decida contar todo esto? ¡No, no debo seguir!

Al terminar de leer sentí frío. Mis dientes castañeteaban. Me apoyé en una pared, dominado por el vértigo.

–Ahora lo entiendo todo –balbucí–. Yo vi a esa mujer en el restaurante... Quise seguirla cuando se marchó, por eso interrumpí el párrafo donde la describía... Pero al salir, observé cómo ese tipo la secuestraba... Entonces lo perseguí... y tuve el accidente.

–¿Recuerda algo por fin? –preguntó Neirs.

Me esforcé en vano. Mi cerebro era una bruma. Las imágenes que distinguía –ELLA saliendo del restaurante; ELLA, golpeada y arrojada a su propio coche; el misterioso secuestrador– eran las mismas, lector, que tú podrías invocar con la lectura. Moví la cabeza.

–No, aún nada. Pero es fácil deducirlo, ¿no cree?...

Neirs lanzó un suspiro.

–Bueno, lo del secuestro es una posibilidad –convino–, pero ya ha visto usted el estado en que se encontraba la señora Guerrero... No podemos fiarnos por completo de lo que escribió...

–Además, yo he leído algunas de las novelas de Cauno –terció Virgilio, desdeñoso–: el tópico de la mujer secuestrada es uno de sus preferidos.

–¡Pero ustedes decían que aquí hay una solapa! –protesté.

–Y la hay, o puede haberla –asintió Neirs–. Muy pequeña, desde luego.

–La rama de laurel –dijo Virgilio.

–¿Qué?

–¿No se da cuenta? –exclamó Neirs–. ¡El adorno de la mesa 15! Rosalía dice que la mujer llevaba una de las ramas de laurel en la mano al salir de La Floresta. Sin duda se la regalaron, o ella la pidió como recuerdo.

Los dos detectives se disponían a cruzar la calle en dirección al restaurante. Parecían muy animados.

–Comprobaremos si falta alguna de las ramas de la mesa 15 –dijo Neirs–. No creo que las repongan con frecuencia, y la ausencia de un ejemplar se descubrirá enseguida, porque entre todos componen el texto de un autor clásico cualquiera... Fíjese qué coincidencia más afortunada. –Se detuvo y me miró fijamente–. Si faltara alguna, ello significaría que lo que escribió Rosalía Gue-

rrero tiene muchas probabilidades de ser cierto...
Lo cual equivaldría a decir, señor Cabo, que su teoría es correcta: que alguien ha secuestrado a esa
mujer, falsificado los párrafos que la mencionan y
asesinado al poeta... Un plan fríamente calculado,
casi perfecto... pero la rama de laurel lo delatará.

XI
LO QUE ESCRIBIÓ OVIDIO

Estaba abierto, pese al temor que al principio me acometió (porque eran casi las 4 de la tarde de un domingo). Pero mientras bajábamos las escaleras me di cuenta de que algo extraño sucedía. No escuchaba música ni bordoneo de conversaciones, sólo un oleaje de vajilla agitada. Cuando llegamos al salón, me detuve, incrédulo. Parecía haber soportado los trabajos de una pesada orgía: aristas de platos rotos; manteles sucios y retorcidos; sillas volcadas. El aire conservaba el recuerdo de una comida larga e impetuosa. Los clientes se habían marchado ya; sólo quedaban los camareros, cansados, entristecidos, mirándonos con indiferencia. Nos precipitamos hacia la mesa 15, y entonces un extraño gusano, ciego y piramidal, asomó por el borde y reptó sobre el mantel. Era una nariz. Iba seguida de la vena pulsátil, el gastado pelo y los ojos tristes de Felipe, el encargado. Se hallaba agachado recogiendo algo del suelo.

–Los han roto –decía, lastimero–. Los han roto todos...

No tardé en comprobar que se refería a los laureles. Había hojas sueltas sobre el mantel y las sillas. Su mano coleccionaba un pequeño montón. El lector sabrá entenderme si digo que casi sufrí un desmayo: sólo el oportuno respaldo de una silla previno mi caída. Por supuesto que influía el cansancio de las últimas jornadas, pero aquel desastre final me superaba. ¡Tanto esfuerzo en vano! ¡Ya no había forma de saber si faltaba una rama, porque todas estaban rotas y entremezcladas!

–¿Cómo ha sucedido esto? –preguntó Neirs, a quien Felipe saludó, como a mí, con extremada cortesía.

–Ya ve usted, un autocar de turistas... Nosotros casi nunca recibimos turistas, pero hoy, por ser domingo... Y lo peor de todo es que no querían escribir: sólo comer, beber y bailar sevillanas. Yo les decía que La Floresta Invisible es un lugar delicado, que aquí todo es muy frágil, de papel, pero mientras más serio me ponía, más se reían ellos... –Se interrumpió y su nariz inició un descenso de cañón inservible–. No quiero mentirles, señores: este local no va bien. Debido a nuestra oferta, ya saben, la posibilidad de escribir mientras se come, la mayoría de nuestros clientes son personas solitarias... Pero de vez en cuando hemos de plegarnos a las exigencias de la vida: celebraciones, comidas de empresa, turistas... En resumen: tuvimos que aguantarlos...

En la mesa 15, explicó, se había sentado un trío de jovencitas yanquis. Tras pulirse la primera jarra de sangría, se dedicaron a descuartizar las ra-

157

mas de laurel y colocárselas en el pelo, en las orejas o entre los dientes, muertas de risa. Cuando Felipe las llamó al orden, el guía del grupo le entregó unos dólares. «Creen que todo puede arreglarse así», se quejaba. Se consideraba culpable por haber aceptado aquellos papeles a cambio de los otros. «Papel por papel –decía–, pero los laureles eran arte y el dinero sólo es dinero.» Para desahogarse, lo había anotado todo en su libreta, que se apresuró a sacar y mostrarme. Calificaba lo sucedido como «el segundo acontecimiento más importante de su vida» después de mi visita. Intenté consolarlo a pesar de mi propio estado de ánimo. En cuanto a Neirs y su ayudante, ya no le prestaban atención: se habían dedicado a recoger las hojas y agruparlas sobre la mesa.

–¿Sabe si se llevaron alguna? –preguntó Neirs. Pero no, no se habían llevado ninguna, sólo las habían roto. Y Neirs hizo otra pregunta–: ¿Puede darse el caso de que a un cliente se le regale uno de estos adornos?

Vi cómo Felipe fruncía el ceño.

–A veces, como un favor especial... porque son muy difíciles de reponer, usted podrá figurarse...

–Ah, lo suponía –dijo Neirs. Y, dirigiéndose a Virgilio–: Venga, lúcete. Primero habrá que ordenarlas.

Sobre la mesa yacían 9 trozos de papel recortado imitando las hojas del laurel. Cada uno mostraba una o dos palabras diminutas. Virgilio los había distribuido en 3 grupos de 3 hojas cada uno:

sus ropas	Brisas opuestas	sus cabellos
Un aura leve	agitaban	desnudaba
El viento	su cuerpo	hacía retroceder

–¡Esto es lo mío! –dijo alegremente.

Mientras el enano, de pie sobre una silla, jugaba a cambiar de sitio las hojas, Neirs siguió interrogando al encargado. ¿Cuántas hojas tenía cada rama? ¿Qué autor citaban? ¿Recordaba haberle regalado alguna a una mujer hacía casi dos semanas? Felipe se excusaba por ignorar las respuestas. Pronto, hasta los camareros abandonaron sus actividades para seguir el hilo de la investigación y contemplar la fascinante labor de Virgilio, que en 5 minutos reconstruyó 3 presuntas ramas:

1ª rama	2ª rama	3ª rama
El viento	Brisas opuestas	Un aura leve
hacía retroceder	agitaban	desnudaba
sus cabellos	sus ropas	su cuerpo

–¡No! –exclamó de pronto–. ¡Soy el MAYOR burro del mundo! ¿Te das cuenta, Horacio?

–Sí, Virgilio.

–¡Un «aura leve» no desnuda el cuerpo de nadie! ¡El viento sí!

Y volvió a modificarlas.

–Para esto de los rompecabezas es un genio –me susurró Neirs al oído.

Cuando terminó, pronunció las tres frases recitándolas como si se tratara de un poema:

El viento desnudaba su cuerpo.
Brisas opuestas agitaban sus ropas.
Un aura leve hacía retroceder sus cabellos.

–«La huida aumentaba su belleza» –completó alguien en voz alta. Un segundo después me di cuenta de que ese «alguien» había sido yo.

–¿Qué? –preguntaron todos.

–Son versos de las *Metamorfosis* de Ovidio –dije.

Yo conocía muy bien esa obra porque –recordé en aquel momento el resumen que sobre mi vida había escrito Huevo Duro– a ella había consagrado mi tesis de filología. Los versos habían surgido de mi memoria sin esfuerzo, con la suave brujería con que el inconsciente elabora los sueños más abstrusos. Expliqué que se trataba de una escena del primer libro: la ninfa Dafne, que quiere mantenerse virgen a toda costa, es perseguida por un excitado dios Apolo, y el poeta describe cómo su túnica se entreabre con la carrera y el viento agita sus cabellos. Además, la figura del laurel no era casual: Dafne (que en griego significaba «laurel») se transformaba en uno para escapar de la pasión del dios.

–Entonces es muy probable que falte una rama completa –dijo Neirs–: «La huida aumentaba su belleza».

–A menos –repuso Virgilio– que el decorador

haya considerado que con estos tres versos era MÁS que suficiente...

–Lo lógico sería que hubiesen incluido el verso final –protesté con voz débil–. Es muy hermoso, ¿no creen?... «La huida aumentaba su belleza»...

Me aferraba a aquella posibilidad con ansia filológica.

Neirs, que fumaba uno de los cigarrillos de su pitillera de plata, me miró y asintió.

–Bien, vamos a apostar por sus conocimientos, señor Cabo. Supondremos que falta una rama y que todo lo demás es cierto. –Y, volviéndose hacia el encargado–: ¿Puede enseñarnos la habitación donde se guardan las cuartillas de los clientes, por favor?

Felipe nos condujo a través de un oscuro pasillo. A la derecha se hallaban los aseos y frente a ellos una puerta cerrada. Manipuló la cerradura de esta última con una llave que extrajo del bolsillo.

–¿Sería mucho pedir, caballeros –dijo mientras abría la puerta–, que me explicaran lo que sucede?

–Sospechamos que se ha cometido un crimen –repuso Neirs–. Eso es lo que sucede.

Los dos detectives se concentraron en el examen de la puerta; después penetraron en la habitación. Felipe se volvió hacia mí, entusiasmado.

–¡Esto es el tercer acontecimiento más importante de mi vida! –dijo, y sacó la libreta y el bolígrafo.

–¿Qué opinas, Virgilio? –preguntó Neirs.

–La cerradura no parece haber sido forzada, pero...

–Les aseguro que se toman las máximas medidas de seguridad para que nadie toque las cuartillas –dijo Felipe.

Entré detrás de ellos. La habitación era pequeña y olía a papel. La luz del día penetraba por una ventana cerrada, de doble hoja y cristal esmerilado, situada en la pared del fondo. En las paredes de los lados se erguían dos grandes estanterías metálicas, la de la derecha ocupada hasta la mitad por cuadernos de piel negra con etiquetas en los lomos. El suelo era de baldosas. La luz eléctrica consistía en una bombilla desnuda.

Neirs dio un breve paseo expulsando humo azul. De repente desapareció tras un pequeño recodo entre la ventana y la estantería de la izquierda. «¿Me ves?», le preguntó a Virgilio. «Desde la puerta, no», replicó éste. «Ajá», dijo Neirs y salió de su escondite. Los camareros, Felipe y yo contemplábamos, hipnotizados, el misterioso trajín himenóptero de los dos investigadores.

–¿A qué hora cierran el local y quién es el último en marcharse? –preguntó Neirs.

–A las doce. Yo –dijo Felipe.

–¿A qué hora abren?

–¿Y quién es el primero en venir por la mañana? –inquirió Virgilio seguidamente.

–A las once. El *chef* –respondió Felipe, dedicando una mirada, al tiempo que la respuesta, a cada uno de los que habían preguntado.

Luego anotó algo en su libreta. Comprendí

que hablaba de forma tan concisa para lograr reproducir el diálogo por escrito sin necesidad de modificarlo demasiado.

–¿Esta habitación siempre se cierra con llave por las noches? –indagó Neirs.

–Sí, señor.

–Pero supongo que durante los horarios de comida permanece abierta...

–Sí, señor.

–¿Has visto, Virgilio? El baño está enfrente...

–Ya me he dado cuenta, Horacio.

–¿Y la ventana?

–Siempre cerrada –dijo Felipe.

–Fíjate que la ventana es una especie de tragaluz y queda al nivel de la acera, Virgilio.

–Ya lo he visto, Horacio.

–Lo cual es lógico, porque estamos en un sótano...

–En efecto.

–¿Pueden hablar más despacio, por favor? –rogó el encargado, escribiendo a toda velocidad.

–Para mí, la cosa está clara –dijo Neirs–. El falsificador (llamémosle así, aunque probablemente habría que denominarlo «secuestrador») viene a cenar una noche cualquiera, después del rapto. Le interesa modificar los textos que describen la presencia de esa mujer en el restaurante, para que no queden pruebas. ¿Cómo lo hace? Paga la cuenta y se escabulle hacia el pasillo con la excusa de ir al cuarto de baño. Entra en esta habitación y aguarda tranquilamente a que el restaurante se cierre, oculto en este recodo. Después se dedica a sustituir las cuartillas que desea por sus propios textos, que quizá ya traía escritos, o que escribió *ad hoc*. Dispone de toda la noche, y puede tomárselo con calma: imita varias letras; se burla de los futuros lectores hablando de la mesa, la silla, el adorno del oso... Incluso se permite el lujo de finalizar cada párrafo con la misma frase, a modo de rúbrica: «Repleto de fantasía». Después introduce las cuartillas falsas en las anillas de los cuadernos y los devuelve a la estantería. Por último, antes de que el restaurante se abra y al amparo de la oscuridad, escapa por la ventana.

—Pero ¿cómo cerró la ventana después? —dijo Felipe, que no perdía comba, sin duda para que sus comentarios figuraran en su propia libreta—. La ventana siempre está cerra...

Neirs, con un simple gesto, había separado las dos hojas. El sol del domingo se volcó como un cubo de oro dentro de la habitación, y todos parpadeamos.

—*Quod erat demonstrandum* —dijo Virgilio.

—Simplemente encajó las dos hojas —explicó Neirs—. La ventana nunca estuvo cerrada.

—¿Cómo se escribe «demostrandun»? —me preguntó Felipe por lo bajo.

Yo contemplaba boquiabierto a Horacio Neirs: no sabía si era el sol, que daba en su espalda, o mi admiración, pero lo veía rodeado de un halo celestial. Súbitamente, el detective se acercó y me palmeó el hombro.

—Váyase a casa ahora, señor Cabo. Tómese la tarde del domingo libre, al menos, y procure descansar. Virgilio y yo nos quedaremos un rato más, con el permiso de estos señores –señaló a Felipe–, para investigar los cuadernos del restaurante... Quizá alguno de ellos no haya sido modificado.

Protesté, pero hasta con mi tono de voz le daba la razón. Empezaba a experimentar la fatiga acumulada durante los últimos días. Antes de despedirme quise saber cuál era su impresión sobre el caso. Parecía ilusionado, aunque mantenía su frialdad de costumbre. Virgilio se mostraba más pesimista. «No hemos salido aún del tremedal de la literatura –comentó–. Recuérdelo: es el mundo MÁS movedizo y traicionero de todos. No podemos dar nada por seguro.» La próxima línea de investigación –afirmaron– sería más realista: averiguar si alguien había denunciado, recientemente, la desaparición de una mujer. Revisarían los periódicos atrasados, solicitarían entrevistas con la policía, interrogarían de nuevo a la señora Guerrero... En cualquier caso, esperarían. Porque un secuestrador siempre pretende obtener algo con su crimen, y ese algo acaba por salir a la luz tarde o temprano: un rescate, una venganza, un goce, un acto de presión... «En esto se parecen a los escritores –opinó Neirs–, que no soportan por mucho tiempo el anonimato. Le aseguro que tendremos noticias suyas antes de lo que sospechamos.»

Tras recibir la promesa de que me llamarían en cuanto supieran algo, me despedí de los detectives, del encargado y de los camareros, dejándolos a todos en el cuarto de los cuadernos, y me arrastré hacia el salón. «Estoy extenuado –pensaba–. Aunque se declarara un fuego ahora mismo, sería incapaz de echar a correr.»

Cinco segundos después de pensar esto estaba corriendo por la calle. Así es la vida a veces, tan opuesta a nuestras intenciones. Y es que al llegar al salón me encontré, de manera imprevista (creo que para ambos), con el hombre de la cara fofa. Se hallaba al pie de las escaleras, vestido con el mismo traje gris y sosteniendo el cuaderno y la pluma. Algo en su sigilosa actitud me hizo comprender instantáneamente que me había seguido hasta el restaurante. En cuanto me vio, se detuvo el tiempo justo para escribir una frase y de inmediato corrió escaleras arriba.

–¡Un momento! –grité.

Me precipité tras él. El pie derecho me traicionó en uno de los peldaños, y casi derribo a Marcel Proust al apoyarme en la pared. Un sol arenoso, casi marino, me cegó al salir a la calle. A mi izquierda, en la acera vacía, una mancha gris disminuía de tamaño.

–¡Oiga!

Mi voz temblaba de furia. «Voy a alcanzarte, no importa lo mucho que corras –pensé–. Me debes una explicación.» La mancha dobló una esquina. Llegué hasta allí... y me paré en seco. Había desaparecido. Un autobús recogía pasajeros al otro lado de la calle, pero no creí que Cara Fofa hubiera logrado escabullirse en su interior sin que yo lo advirtiera. Tenía que estar oculto en algún portal.

El comercio más próximo era una pequeña librería. Al pasar frente a ella atisbé a mi presa. Se hallaba encajado en el oscuro vestíbulo, entre dos escaparates. Sendos reflejos de sí mismo lo sitiaban. Su doble fantasma convivía, transparente, con los atriles colmados de volúmenes. Retrocedió hasta golpear la puerta de la tienda, y el letrero de «Cerrado» respondió con un resonar de castañuelas. Escribió algo en la libreta. Aguardó. No dejaba de mirarme.

–¿Quién es usted? –dije–. ¿Por qué me sigue?

Escribió. Aguardó. Me acerqué dos pasos.

–¿Qué es lo que escribe?

Volvió a escribir. Me acerqué más. Sus blandos rasgos rebosaban por el cuello de la camisa. Parecía una tortuga extraterrestre. Sudaba copiosamente.

–¡Deme el maldito cuaderno! –grité, arrebatándoselo.

Eché un vistazo a las últimas frases, las que acababa de anotar (y que revelaban, claro, una caligrafía urgente y difícil). Se trataba de un diálogo. Las palabras no me causaron excesiva sorpresa (las esperaba), pero un detalle me dejó sin habla.

–¿Quién es usted? –preguntó Natalia–. ¿Por qué me sigue?

El hombre no dijo nada y escribió. Ella se acercó dos pasos. Su faldita ondeaba con la brisa, desnudándole los muslos.

–¿Qué es lo que escribe? –preguntó, irritada.

El hombre volvió a escribir. Aguardó. Natalia se acercó un poco más. Sus bellos rasgos se contraían de ira.

Alcé la vista, atónito.

—No se ofenda, por favor —dijo Cara Fofa—. Usted es, tan sólo, mi inspiración. La otra noche, al verlo en el restaurante sentado en la mesa de Modesto... Bueno, me ocurrió como cuando Proust se comió la famosa magdalena... Una súbita inspiración... La vi a *ella* a través de usted, no me pregunte cómo ni por qué: la inspiración tiene sus razones, ya sabe... Usted se convirtió en la protagonista femenina de mi novela. —Me tendió una mano que no acepté—. Mi nombre es Adán Nadal, y soy empresario y escritor aficionado... —Bajó los ojos un momento, como si aquella declaración fuera vergonzosa—. Pero me tomo muy en serio mi afición, se lo aseguro... Tengo tiempo para ello: soy viudo, vivo solo... Mi gran defecto es que carezco por completo de imaginación. Así como se lo digo, créame. Me apasiona escribir, pero soy incapaz de inventar lo más mínimo. Por eso voy por ahí, buscando personas y cosas que trasladar al papel con escasas diferencias. —Se encogió de hombros—. Y usted se ha convertido en Natalia, qué le vamos a hacer...

Mientras lo escuchaba, hojeaba el cuaderno. Sorprendí varios encabezamientos: «Natalia en el café *art déco*», «Natalia en el Parque Ferial»...

—¿Natalia? —dije.

—Así he bautizado a mi protagonista.

–¡Me ha estado siguiendo todos estos días!

–No. –Meneó la gruesa cabeza–. En realidad, sólo hoy. Lo vi en el Parque Ferial y lo seguí hasta aquí, copiando todos sus movimientos. Iba usted con dos caballeros, pero eso no me importaba. Entraron en un portal frente al restaurante, salieron más de dos horas después... Le juro que nada de eso me interesaba. Lo único que pretendía era observarle, señor Cabo, para obtener los gestos y las conductas de Natalia... Porque usted es *ella*. Y le repito: no se ofenda. Ni yo mismo entiendo por qué tiene que ser así, pero lo cierto es que lo es.

–¿Y a qué vino lo de anoche, en el café?

Perlas de sudor recorrían su frente. Se secó con la manga del traje.

–Bueno... Compréndalo... Ya le he explicado que soy incapaz de inventar nada. Necesitaba un aspecto físico... Quiero decir... Usted es Natalia, salvo en lo que al aspecto físico se refiere, claro... Y de nuevo le pido que no se ofenda: una mujer con su apariencia no es...

–Siga –lo interrumpí.

–De modo que contraté a una modelo y le pedí que organizara una cita. Los observé a ambos y obtuve una mezcla: las conductas son suyas, el cuerpo es de ella... Un cuerpo precioso, por cierto... Ahora mismo la estoy viendo: una muchacha de 17 años, muy atractiva, que acaba de arrebatarme el cuaderno... –Y estiró su erizado bigote oscuro al sonreír–. Sí, yo también estoy en la novela... Soy «el hombre» que la sigue a todas partes, mirándola y haciendo anotaciones... ¿Por qué?, se preguntará usted... ¿Qué quiere este hombre de mí?... ¡Ah, ése es el secreto de mi novela!... ¿Soy un pervertido? ¿Tengo alguna relación de parentesco con usted? −Alzó el espeso gusano negro de una ceja−. Le confieso que ni yo mismo lo sé... Ya sabe lo que es esto de escribir: como si un espíritu ajeno nos poseyera. ¿Por qué estoy haciendo lo que hago? ¿Por qué no lo dejo y me voy a casa?... Lo ignoro. Sólo sé que hoy me he dedicado a seguirlo a usted y he anotado sus movimientos... Ya veremos a dónde nos conduce todo esto. −Y lo dijo como si fuera problema de ambos saber adónde conduciría todo. Volvió a deslizar la manga de su chaqueta por la frente−. Hagamos algo, si a usted no le importa. Déjeme visitarlo mañana por la tarde, y le prometo que no lo molestaré más. Sólo mañana por la tarde. No le quitaré mucho tiempo: tomaré algunas notas, pensaré qué papel juego en mi propia obra, quién es Natalia y quién soy yo... y después me marcharé y me encerraré en casa a terminar la novela. ¡Pero lo necesito a usted, señor Cabo! ¡Sólo una vez más! ¿Acaso no es escritor también? ¿No ha sufrido también el maltrato de las musas? ¡Apiádese de mí! ¿Qué culpa tengo yo de que sólo a través de usted pueda obtener a Natalia? −Y su voz se convirtió en una súplica desesperada−. ¡No me deje sin Natalia, se lo ruego!

Por un instante acaricié la idea de golpear aquellas blandas mejillas, estrellar mi puño en aquellos ojos enormes y fijos como tartas. Me daba náuseas tan sólo mirarlo. Pero lo que hice fue arrojarle el cuaderno a la cara.

–Lárguese y no vuelva a seguirme.

Adán Nadal atrapó con suma torpeza la gaviota muerta de sus propias páginas y la aplastó contra el chaleco.

–¿Me lo promete? –dijo–. ¿Quedamos mañana?

–He dicho que se largue.

–Lo siento –murmuró, y percibí algo extraño en su entonación (o quizá fueron mis nervios): de repente no supe a cuál de los dos se dirigía, si a su personaje o a mí. ¿Era Natalia la receptora de aquel «lo siento»? Busqué la respuesta en sus pupilas leonadas, que no pestañeaban, pero sólo encontré mi propio rostro (mi propia sombra diminuta a contraluz). Por un instante me hundí en aquellos ojos, que me dedicaban una atención sorprendente, y comprobé que la fijeza de su mirada tenía una explicación muy simple: Adán Nadal no me veía, traspasaba mi semblante como si fuera papel. La sensación que experimenté no podía ser más extraña, como si detrás de mí hubiera alguien mucho más sólido, con una realidad, por así decir, más coagulada que la mía, y los ojos de ambos me exceptuaran. Eran dos amantes contemplándose desde sendos arrecifes (y yo, el breve océano que los separaba), como Rosalía Guerrero y Braulio Cauno.

El hombre salió del vestíbulo de la tienda y se detuvo para añadir:

–Lamento caerle tan mal... Quizá podamos discutir el tema mañana.

–¡No tengo nada que discutir con usted! ¡Lárguese!

Se encogió de hombros y anotó algo. Comprendí que estaba escribiendo mi propia réplica y acotando: «dijo Natalia». De hecho, pensé que mi frase hubiera podido pertenecer igualmente a la adolescente de 17 años en que sus ojos me convertían. («¡No tengo nada que discutir con usted! ¡Lárguese!», así, pronunciada con voz de muchacha.)

De pronto me pareció imprescindible librarme de aquel espectro transexual: cada vez que Adán Nadal me dedicaba su mirada de galápago yo me sentía (aunque el lector se burle, sí) un poco *Natalia*. Pero ¿cómo impedir que tal cosa suceda? Nada lograría arrebatándole el cuaderno, rompiéndolo, golpeando su rostro fofo y pálido, ni siquiera huyendo. Probablemente (soporté un febril escalofrío) tampoco lo conseguiría si aquel tipo se *muriera*. El terrible poder de la escritura, su espantosa brujería, reside en su propia tenuidad. La acotación «dijo Natalia» es un hecho indestructible: destrozar el papel donde está escrito no puede modificarlo. Nada que yo pudiera hacer o decir, nada en el universo, impediría *el efecto* de aquella acotación, como no hay nada que tú puedas hacer ahora, lector, para impedir que yo declare: «Soy Juan Cabo». Ni siquiera tu incredulidad te salva de la maldición de mis frases. Lo escrito, escrito queda.

Permanecí inmóvil mientras Adán Nadal se alejaba en silencio. Pero, cosa extraña, en ese momento empecé a lamentar haberlo tratado con tanta aspereza. En fin de cuentas el delito de aquel pobre diablo había consistido, tan sólo, en inspirarse en mí para construir a su personaje. Cuando quise reparar mi error me resultó imposible. Se había esfumado. No lo veía por ninguna parte. «Lo siento», pensé, sin saber tampoco muy bien a quién iba destinado aquel pensamiento.

El cansancio volvió a dominarme. Apoyé la cabeza en el cristal del escaparate de la librería sospechando que, si cerraba los ojos, no me costaría ningún esfuerzo dormirme allí, de pie, en el oscuro vestíbulo.

Pero –tan opuesta es la vida a veces, etc.– cinco segundos después de pensar lo anterior me hallaba mucho más despierto de lo que jamás hubiese creído posible.

Mi vista, a punto de apagarse, había tropezado por casualidad con uno de los libros que se anunciaban en el escaparate.

Y el horror hizo sonar la alarma en mi cerebro.

XII
EL DESAFÍO

–Nos enfrentamos –dijo Horacio Neirs– a un escritor astuto, implacable y perverso. Comprendo que esto no es decir gran cosa: podría ser cualquiera; hoy día todo el mundo escribe.

Se dirigió a la estantería de mi despacho y cogió un libro.

–Se hace llamar Ovidio, como el poeta latino autor de las *Metamorfosis*... –Mostró la edición: era una de las muchas que albergaba mi biblioteca sobre esta obra clásica–. Quizá la idea se le ocurrió cuando vio la rama de laurel que su víctima se había llevado del restaurante... Pero no hay duda de que el seudónimo oculta una clave. En las *Metamorfosis*, los dioses se transforman en otras cosas para conseguir sus propósitos, ¿no es así, señor Cabo?: en toro, lluvia, pájaro... Es posible que nuestro adversario piense que es capaz de transformarse en otros autores para obtener sus deseos... No olvidemos lo fácil que le resulta imitar caligrafías ajenas.

–Lo que es evidente es que está loco de remate –afirmó Virgilio, inclinándose para dejar el libro sobre la mesa–. Aunque hay que reconocer que escribe muy bien.

El título del volumen, en grandes versalitas negras, era lo que me había impulsado a buscar un quiosco abierto aquella tarde de domingo y llevarme un ejemplar. Después había llamado a Neirs por el móvil y habíamos vuelto a reunirnos a las 19:30 en mi casa. En aquel momento eran las 19:55. Neirs fumaba uno de sus cigarrillos mientras disertaba sobre el misterioso autor. Virgilio acababa de terminar la lectura de la obra y se secaba el sudor con un enorme pañuelo. Yo daba vueltas de un lado a otro golpeándome la nariz con el pulgar. El atardecer declinaba en la ventana. Se escuchaba, de vez en cuando, la labor de Ninfa regando las plantas del jardín.

El libro era extremadamente simple: portadas blancas, encuadernado en rústica, sin mención de editorial, depósito legal o registro de propiedad. Apenas tres páginas escritas, el resto en blanco. En la portada figuraba el título, un número entre paréntesis que parecía anunciar futuras entregas, y el supuesto autor:

REPLETA DE FANTASÍA
(1)
por Ovidio

Estaba envuelto en plástico y se distribuía gratuitamente, como uno de esos pequeños ejempla-

175

res que a veces se hallan junto a la caja registradora en las librerías. Una nota en la primera página indicaba: «Todos los caracteres y situaciones mencionados en este relato son ficticios. Cualquier parecido con la realidad es pura coincidencia». En la página siguiente comenzaba la narración, que leí sin detenerme, con el corazón en la boca.

Escogí a aquella mujer porque cenaba sola en el restaurante literario. Ella sería ideal para probar mi teoría. Ahora se encuentra en el suelo, a mis pies, atada y amordazada, mientras yo escribo esto.

–No tengo nada contra usted –le dije–. Ni siquiera la conozco. Tampoco me interesa el dinero, lo siento. No voy a pedir ningún rescate por su vida. Se trata de una cuestión puramente teórica. La he secuestrado para poner a prueba mis ideas sobre ficción y realidad, que me obsesionan desde hace tiempo. Mientras le hablo, escribo en mi ordenador. ¿Lo ve? Después lo publicaré a modo de relato por entregas. Debo advertirle que he borrado su identidad de todos los documentos oficiales, he modificado los textos que la mencionan (creo no haberme saltado ninguno) y eliminado a las personas que la recordaban. Usted ya sólo vive aquí, en estas palabras y en estas páginas. Mi interés es filosófico: consiste en probar cómo un ser humano real, cuya identidad ha sido completamente anulada, deja de existir cuando se traslada al papel. Yo podría gritarle al lector: «¡Eh, ella es REAL! ¡Está aquí, en mi casa, atada y amordazada! ¡La secuestré la noche del 13 de abril! ¿No me crees, lector? ¡Dime! ¿No me crees?». Y el lector me leerá (me está leyendo ahora) y moverá la cabeza sonriendo mientras piensa: «¡Qué imaginación!». ¡Por mucho que me esfuerce, nadie apostaría por su existencia, amiga mía!... Porque la literatura es la mejor COARTADA que hemos inventado para la MENTIRA. Nada hay más INÚTIL, VACÍO y FICTICIO que escribir... ¡Por el mero hecho de figurar en este párrafo con un guión delante, usted YA ESTÁ MUERTA!...

Publicaré, en total, 3 libros. Éste es el primero. El segundo saldrá el lunes 26 de abril y el tercero el martes 27. Entonces la mataré. Me divertirá narrar su muerte (que será, sin duda, dolorosa) y publicarla en forma de cuarto libro de la saga. Los lectores no sospecharán que están leyendo un asesinato auténtico... ¡el único de la historia que será perpetrado frente a miles de personas, sin que nadie pueda acusar a su «autor»! ¡Dime, oh, lector! ¿Acaso tu incredulidad no convierte esto en el MÁS PERFECTO de todos los CRÍMENES? ¡Con tu incredulidad, te haces CÓMPLICE de mi delito!

Ahora, mi víctima y yo vamos a jugar un poco. Narraré nuestros juegos en el siguiente libro... Habrá cosas *inventadas*, pero otras *serán reales*... ¡No importa! El lector las igualará todas... No sabrá distinguir entre unas y otras... Y tus gritos, amiga mía... ¡Tus GRITOS estallarán en el SILENCIO del PAPEL!

¿Cumplirá su amenaza el misterioso psicópata? Lean la continuación de esta apasionante historia: Repleta de fantasía (2). *De próxima aparición en su quiosco o librería habitual.*

Cerré el libro con la sensación de que cerraba una tumba. «¡Está completamente loco, pero tiene razón! –pensé–. ¡Nadie lo creerá! ¡Sólo Neirs, Virgilio y yo sabemos que lo que dice es cierto, porque hemos leído todas las pistas desde el principio!»

–Este tipo ha descubierto la literatura *snuff* –observó Virgilio, mordaz–: puede que la haga tan popular como las películas.

–¡Vamos a la policía! –propuse–. ¡Todavía estamos a tiempo!...

Neirs desestimó mi idea con un ademán.

–¿Es que no ha leído la primera página? –Cogió el libro y lo abrió, señalando con su largo dedo meñique–. «Todos los caracteres y situaciones mencionados en este relato son ficticios. Cualquier parecido con...», etcétera. Este simple párrafo fuera de texto es una *solapa*. Anula todo lo que viene detrás. Es la coartada perfecta. A partir de ahí, Ovidio podría escribir lo que le diera la gana. Gracias a esa solapa, la narración posterior cae en el agujero ciego de la ficción. Nuestro enemigo lo sabe, y ha invertido el orden usual de la literatura: la solapa es *ficticia*, el texto es *real*. Su labor ha sido genial, debemos reconocerlo. Los escritores, por regla general, pretenden que admitamos sucesos completamente falsos. Ovidio, en cambio, ha conseguido lo contrario: que no nos creamos un hecho completamente verdadero.

–Es el crimen perfecto –dijo Virgilio–. Al menos está muy bien contado.

–Y, como él mismo dice –prosiguió Neirs–, nos ha convertido en cómplices. Nuestro hombre sabe que la solapa es lo único que importa de un libro. Si la solapa dice: «es ficción», los lectores apretaremos el interruptor de «incredulidad» y nada a lo largo del texto nos hará cambiar de opinión... Al contrario, desafiaremos al escritor a que nos convenza: «A ver si eres capaz de hacerme creer en la fantasía que has inventado», decimos. Y Ovidio, que lo sabe perfectamente, como digo, ha diseñado una trampa diabólica en la que todos colaboramos...

–¡Fantástico! –Me irrité–. ¿Qué les parece si lo proponemos como candidato al Nobel?

–Cálmese, señor Cabo –dijo Neirs–. La situación es como es. De nada serviría restarle mérito al magnífico plan de nuestro enemigo...

–¡Pero una mujer está siendo torturada en estos momentos y va a morir dentro de 3 días! ¡Y usted está ahí, fumando tranquilamente y hablando de problemas literarios!

Manteniendo la calma, Neirs repuso:

–No perdamos la cabeza. A fin de cuentas, sólo es un libro. Nada nos prueba que las amenazas que promete sean reales. Si no me equivoco, nos enfrentamos a un psicópata literario. El placer de Ovidio es idéntico al de cualquier otro escritor: le gusta presumir impunemente de sus obsesiones, que la gente las lea y las comparta. La diferencia estriba en que él ha secuestrado a una mujer *real*, y goza pensando que puede hacerle *todo* lo que ha escrito...

–¡No olvide que ya ha asesinado a un hombre! –indiqué.

–No lo olvido. –Neirs proyectó los labios y expulsó un denso cono de humo–. De hecho, pienso que usted sigue con vida, señor Cabo, porque ha perdido la memoria, y Ovidio lo sabe... No le interesa dejar testigos que puedan recordar a esa mujer. –Y sacudió sobre el cenicero una débil colina grisácea, el polvo de un cadáver de embrión.

–¡Tiene que haber alguna forma de que las autoridades nos crean! ¡Con esto! –Cogí las cuartillas del restaurante, el poema de Grisardo, el texto de Rosalía Guerrero...–. ¡Si lo presentamos todo como prueba, quizá...!

Neirs movía la cabeza.

–Quizá alguien lo aprovechara para escribir una novela, nada más. La única prueba con la que contamos es la ausencia de la rama de laurel del restaurante. Sólo esa simple ausencia vale mucho más que todos los textos que tiene en la mano. –Y, asegurándose de que su blanco peinado seguía intocable, añadió–: Literatura y realidad son términos incompatibles.

Hubo otro silencio. Yo seguía paseando por la habitación y torturando la dolorida pirámide de mi nariz con el pulgar. Virgilio miraba fijamente hacia la nada; parecía un muñeco olvidado por un ventrílocuo en la butaca de mi despacho: brazos cruzados, ojos de pupilas puntiformes y gélidas. Neirs fumaba, pensativo. De pronto sentí que mis fuerzas flaqueaban. Me dejé caer en una silla, trémulo.

–Debemos hacer algo... –dije–. *Debo* hacer algo... Ella, sea quien fuere, no merece morir así... –Mi mirada se emborronó. Me quité las gafas, me froté los ojos–. No la conozco, no sé quién es, pero... a lo largo de estos días... he llegado a imaginármela... y a apreciarla... Sé que no es nadie especial, tan sólo un ser humano normal y corriente, con sus culpas y frustraciones... Pero les juro que no dejaré que muera de esta forma... –Mis lágrimas, liberadas, correteaban como niños pequeños. Los detectives me miraban en absoluto silencio–. ¡No sé qué voy a hacer, pero sé que no voy a quedarme esperando cómo este monstruo publica su último libro!

Neirs contemplaba la sinuosa columna de humo de su cigarrillo.

–¿Dice usted que ha llegado a imaginarse a esa mujer? –preguntó.

–Sí... ¿Por qué?

Extendió sus largos dedos y cogió el relato de Ovidio. Lo hojeó durante un instante, en silencio.

–Quizá nos quede una posibilidad –dijo–. Nuestro hombre ha intentado neutralizar a su víctima, borrarla de la realidad, convertirla en un personaje de ficción... ¿Y si usted hiciera todo lo contrario?

Alcé la cabeza y miré al detective. Virgilio también lo interrogaba con ojos sorprendidos.

–¿A qué se refiere? –inquirí.

–Ovidio pretende negar su existencia, disolverla... ¿Y si usted la creara de nuevo, señor Cabo? ¿Y si escribiera sobre ella, sobre su vida, su apariencia, sus sentimientos...?

–¿Y eso de qué serviría, Horacio? –preguntó su ayudante.

–Se me ha ocurrido ahora mismo. Puede que nos ayudara a ganar tiempo. El señor Cabo escribiría sobre ella, nosotros intentaríamos que su texto se publicara de inmediato y... y quizá Ovidio lo leyera y decidiera retrasar la aparición del último libro, por ejemplo, o cambiara de planes... En cualquier caso, dispondríamos de unos días de plazo.

–O quizá eliminara a esa mujer mucho antes de lo previsto –repuso el enano–. ¿Cómo saberlo?

–De acuerdo –admitió Neirs–. Pero, como tú mismo dices, Virgilio, «continuamos metidos en el tremedal de la literatura». ¿Qué más da probar un movimiento que otro?

–Devolverle el golpe con sus mismas armas –razonó Virgilio y me miró–. Una idea MUY sorprendente, la MÁS sorprendente que he oído en mi vida, pero parece buena...

–¿Qué opina usted, señor Cabo?

Tras un instante de reflexión, dije:

–Puedo escribir sobre ella, desde luego. Es como la rama de laurel: su ausencia ha ido cobrando forma en mi interior durante estos días. Y si ustedes creen que eso la ayudará, lo haré. Pero ¿de cuánto tiempo dispongo?

–Veinticuatro horas –replicó Neirs–. No más. Veinticuatro horas para crear, en un solo capítulo, a una mujer real. En circunstancias normales eso sería imposible, ya lo sé... Pero usted está tan emocionado, tan... inspirado, que estoy seguro de que lo logrará.

–Veinticuatro horas para narrar una vida completa –murmuré.

–Para inventar un personaje que cualquier lector pueda creerse –corrigió Neirs–. Una mujer normal y corriente, como usted mismo ha dicho, nada de criaturas sublimes. Cuando Ovidio lo lea, se intrigará. Sabrá que hay alguien que sigue recordando a su víctima, que aún existe un texto que la menciona, y no podrá cumplir su amenaza.

–Pero mi personaje siempre será diferente de la mujer que ese individuo ha secuestrado –objeté.

–¿Y qué importa? Usted conoce su vestuario, el color de su pelo y el peinado. Lo demás será invención suya, pero un buen escritor sabe disimular sus invenciones. Suspenda la incredulidad de Ovidio. Una descripción no es una foto, recuérdelo. Si usted logra crear un personaje real, Ovidio terminará creyendo que se trata de su víctima. La literatura consiste en embaucar. Él ya nos ha engañado bastante. Ahora nos toca a nosotros. ¡Desafíelo en su terreno, señor Cabo!

–Un desafío...

–Un duelo –afirmó Neirs–. «Repleta de fantasía»... ¿No lo entiende? El motivo de esa frase, a mi parecer, queda bastante claro. Nuestro rival pretende convertir a una mujer real en unas cuantas hojas escritas y «repletas de fantasía». Usted invertirá el proceso: convertirá unas cuantas hojas escritas y «repletas de fantasía» en una mujer real. La misma metamorfosis, pero en sentido opuesto.

–Es una idea casi tan terrible como la original –decía Virgilio–. Que el lector, al terminar de leer lo que usted escriba, pueda afirmar: «He visto y conocido a una mujer».

El denso silencio fue roto por Neirs:

–Es la única posibilidad que tenemos. Por nuestra parte, rastrearemos la solapa. Intentaremos averiguar qué editorial o imprenta ha publicado esto, aunque sospecho que Ovidio posee poderosas coberturas. Esta simple edición demuestra que su infraestructura es asombrosa. En cualquier caso, no nos quedaremos de brazos cruzados. Pero tengo la impresión de que sólo lo que usted escriba podrá detenerlo, o al menos hacerlo dudar.

–¿Y cómo lo publicaré después?

–Déjelo en mis manos –dijo Neirs–. Tiene hasta mañana lunes por la noche, a las once y media. A esa hora vendré y recogeré su manuscrito. El martes por la tarde estará publicado y distribuido. Le daremos un título que sirva de cebo. «Respuesta a Ovidio», o algo así. –Debió de notar la expresión de mi rostro, porque empleó su tono más suave para añadir–: Sólo existe una pequeña posibilidad de que todo esto salga bien, ya lo sé, pero compréndalo: nos enfrentamos a un criminal absolutamente atípico y disponemos de muy poco tiempo...

–No necesita recordármelo –dije–. Lo haré.

La noche empezaba a dominar el cielo. Los detectives se despidieron. En la puerta, siempre remoto y elegante, Horacio Neirs se volvió hacia mí. Por un momento, aquella máscara de rasgos céreos pareció disolverse y percibí un rostro tan sensible y preocupado como el mío.

–Mi opinión, ya lo sabe –dijo–, es similar a la de Ovidio: la literatura es una actividad inútil, banal, casi ficticia... –Y de repente sus ojos brillaron y sonrió–. Pero si usted lograra impedir que ese individuo consumara su amenaza... En fin, ello me convencería de que, por primera vez en la historia, escribir ha servido para algo... Por primera vez, escribir sería tan importante como nacer...

Su figura se alejó, pálida bajo la oscuridad, en dirección al Audi en el que ya aguardaba Virgilio.

XIII
LO QUE ESCRIBIÓ
JUAN CABO

Su figura es

Toda la noche estuve contemplando esas tres
palabras en el ordenador. Era lo único que había
podido escribir, el solitario producto de mi con-
centración nocturna. Me parecía lógico comenzar
en el punto del párrafo en que me había interrumpido, pero a partir de ahí se extendía el vacío. ¿Cómo continuar? ¿Qué idea tenía realmente
sobre *ella*? Durante mi conversación con Neirs había creído que podía imaginarla fácilmente, pero
ahora descubría que más allá del vestido negro, la
espalda desnuda, el moño y el pelo castaño sólo
existía una acuarela borrosa de rasgos. Y cuando
mi cerebro lograba definir el dibujo, aparecía, sin
que pudiera evitarlo, Musa.

Musa Gabbler, sentada de espaldas, al fondo
del pasillo, en las oficinas de Neirs. Musa Gabbler, esbelta, modélica, perfecta... Pero yo recha-

zaba a Musa con todas mis fuerzas. Odiaba usarla para crear a mi personaje. «Además, es modelo de escritores –pensaba–. Y una modelo cultiva su cuerpo *para* su oficio. Musa es aquello que al escritor le gusta escribir y al lector le gusta leer. No es una mujer, es el *deseo* de los hombres. Pero yo no quiero narrar el *deseo* de los hombres. Lo que quiero es...» Contemplé la pantalla blanca del ordenador. «Lo que quiero es crearla. A *ella*. A una mujer *cualquiera*.»

De repente me aterrorizó el pensamiento de que mi empresa fuera imposible. Me levanté y di un paseo por la casa para quitarme aquella pesadilla de la cabeza. «¡No se puede describir a una mujer *cualquiera*!» Tic, tic, tic, me golpeaba la nariz mientras iba del despacho al pasillo, del pasillo al vestíbulo, del vestíbulo al comedor. «La literatura tiene sus límites: no abarca más que lo extraordinario. Es necesario hablar de su «bella mirada», de su «carácter bondadoso», de su «alegría radiante»...»

Salí al jardín, que empezaba a amanecer de pájaros. Entré por la puerta trasera, recorrí las habitaciones silenciosas. Ninfa no se había levantado aún. Consulté el reloj. ¡Pasaban de las 6, y todavía no había comenzado mi tarea! Una vida humana tenía las horas contadas, y yo debía inventarla para salvarla. Era preciso descubrir un sistema automático y realista de trabajo. Aquí no servía darle vueltas a una frase durante meses. Necesitaba teclear, y que la mujer naciera como música de piano: al instante, divina armonía de líneas humanas.

«La clave reside en rechazar de igual forma lo que me gusta y lo que no –pensé–. Obtener algo independiente de mis propios deseos, que nazca ante mis ojos con la misma espontaneidad que el azar.»

El azar.

Subí las escaleras y corrí hacia el dormitorio. Un hombre invisible, de dos dimensiones, me aguardaba aplastado contra el sofá. Ninfa aún no había colgado en el armario el traje que había llevado en el Parque Ferial. Saqué del bolsillo de la chaqueta mi libreta de «Sucesos» y «Personas» y la hojeé un instante, ensimismado. «Es perfecto –pensé–. Pero ¿cómo hacerlo?»

Al fin, opté por las tijeras. Bajé al despacho y me senté al escritorio. Pétalos de palabras empezaron a descender sobre la mesa. Procuré que todos tuvieran el mismo tamaño. Amenizaba la tarea con una tonadilla de mi invención, que mis labios exageraron conforme la masacre de hierro y papeles se hacía mayor. Finalmente anoté en la cara posterior de cada rectángulo la categoría a la que pertenecía. Luego separé dos pequeños grupos: a un lado, los «Sucesos»; al otro, las «Personas». Los escritores echaban mano de la memoria: yo utilizaría la única memoria de la que disponía, las experiencias e individuos que había apuntado en la libreta. El juego casi me hacía reír. Inspiración rápida. Personajes *prêt-à-porter*.

Ya estaban: dos pequeñas nevadas sobre la mesa, ejércitos enemigos en sus respectivos campamentos. Al principio pensé en elegir los datos que me interesaban, pero después decidí que era preferible el azar. La verdadera vida es así: uno nace sin saber por qué ni cómo, viene al mundo de manera imprevista e ignorada. Una persona es una apuesta en una mano de naipes, un juego genético de células que puede desembocar en un niño o en un fracaso.

Revolví los papeles de «Personas» de la misma forma que se barajan las fichas de dominó, con la información oculta en la cara inferior. Escogí seis y los separé. Entonces les di la vuelta y empecé a anotarlos.

> 7. El desconocido: cara fofa, me mira.
> 5. Modesto: miope, «abuelo bondadoso».
> 6. Gaspar Parra: flaco, lascivo.
> 1. Dolores: huevo duro, la primera persona que recuerdo.
> 2. Ninfa: ojos grandes y asustados, materna.
> 12. Musa Gabbler: perfecta, vacía.

Sin pensarlo dos veces, dejándome llevar por el suave cauce del impulso, apunté en hoja aparte las «palabritas descriptivas» de cada uno, en femenino cuando el caso lo requería. Obtuve una lista de 6 características:

> 1. Cara fofa.
> 2. Miope.
> 3. Flaca.
> 4. Ojos grandes y asustados.
> 5. Huevo duro.
> 6. Perfecta.

«Pero *Perfecta* no puede estar», me dije. Había decidido seguir los dictados de la suerte hasta cierto punto. «Tengo que rechazar *Perfecta*». Sin embargo, titubeaba. Era difícil apartar un calificativo como aquél. ¿Y si *ella* fuera...? No, no lo era. A regañadientes, me deshice de aquella blanca paloma (una córvida tachadura la devoró sobre el papel), asumiendo la imperfección de mi criatura. «En todo caso –medité–, Musa podría encarnar *su* ideal. A *ella* le hubiera gustado ser así de *perfecta*, poseer ese cuerpo y ese rostro.» Y dejé su rectángulo a un lado, sin despreciarlo por completo. Me sentía el doctor Frankenstein ante el esbozo de un cuerpo fabricado con retazos de cadáveres. La habilidad consistía ahora en saber distribuirlos. Me puse a ello.

Trabajé casi hasta el mediodía, ignorando las súplicas de mi criada (para contentarla, bebí un poco de café con leche en el desayuno, pero me negué a almorzar). Escribí los resultados en un cuaderno; después lo pasé a limpio. Taché, corregí, resumí. Añadí al conjunto dos características que me atañían: la baja estatura y la evaluación que Modesto había hecho sobre mis ojos y que tanto me había impresionado: «no son del todo feos».

Por fin obtuve unas cuantas líneas:

Su figura es delgada, de baja estatura. Sus rasgos parecen algo fofos. Tiene la cara redonda y blanca como un huevo. Los ojos son grandes y la expresión asustada. Es miope y usa gafas, pero cuando se las quita, su mirada no resulta del todo fea (hay gente que se lo ha dicho). Alberga el pelo color castaño claro en un moño.

El lector podrá pensar que no era nada, pero a mí me lo parecía todo.

Ella había nacido. *Ella* afloraba al papel, libre, independiente de mi deseo. Yo no había querido que fuera así, tan escasamente atractiva (seamos compasivos), pero tampoco lo rechazaba. Era *ella*, y tenía todo el derecho del mundo a existir. Casi la veía mirarme tras los cristales de sus gafas, con sus ojos grandes y asustados, «no del todo feos». De hecho, su aspecto empezaba a *gustarme*. No se trataba de una cuestión estética; era un sentimiento natural, la bienvenida de un lejano hijo pródigo. *Ella* no era Musa, pero... «¿Qué necesidad tenemos de Musa, tú y yo?», le preguntaba a la hermosa luna llena de mi ordenador, agrisada por los cráteres de las palabras. «Tú eres como eres, yo soy como soy. Aprendamos a convivir juntos.»

Vino al mundo aquel mediodía del lunes. Escribí su cuerpo, sus cicatrices, la cosmografía de sus lunares y sus pecas. Deposité sobre su vida el peso de 35 años de edad. La vestí con mi ropa (hoy día el vestuario apenas tiene género): mis pantalones, mi cazadora, mis chaquetas, mis pañuelos de seda, mi bata de seda. Le coloqué mis gafas redondas. Le impuse dos tics: golpearse la nariz con el pulgar y hacer temblar la pierna derecha cuando está nerviosa. En total, 6 folios impresos. Los leí varias veces y me hice una idea sobre el personaje. Descubrí que era yo mismo, pero sin barba. «Pues así se queda. Ella y yo, unidos por la fealdad. Además, tampoco somos tan feos. Somos *reales*.»

Su aspecto físico estuvo listo a las 4 de la tarde.

Pero aún quedaba su biografía, su personalidad, sus sentimientos. Y los minutos pasaban.

Necesitaba una familia. La historia de cualquier individuo comienza (y a veces termina) con su familia. Por supuesto, no podía extraer los datos de la mía, a la que no recordaba. De modo que hice lo mismo que antes: volví a barajar todos los papeles de «Personas» y escogí otros 6. Al anotarlos, exceptué las palabras «descriptivas», que ya no me servían:

5. Modesto: «abuelo bondadoso».
6. Gaspar Parra: lascivo.
2. Ninfa: materna.
13. Rosalía Guerrero: alcohólica.
7. El desconocido: me mira.
8. Grisardo: nunca lo conocí.

Los leí de nuevo, varias veces. Aquello era más complicado. «¿Y si barajo otra vez?», pensé. La figura de Modesto Fárrago como abuelo y de mi criada Ninfa como madre parecían obvias, pero ¿acaso eran verosímiles? Un abuelo «bondadoso» y una madre «materna» eran dos enormes tópicos. Al mismo tiempo, no podía dejar de pensar en ellos como encarnación de tales personajes. Resolví el problema introduciendo una variación: mezclaría dos caracteres y rebautizaría el conjunto (como había hecho Cara Fofa). «¿Acaso no ocurre siempre así? –pensaba–. Un abuelo es *bondadoso* para su nieto y, al mismo tiempo, es otras muchas cosas.» Decidí utilizar el rectángulo inmediatamente inferior: el abuelo de Natalia sería un hombre como Modesto, calvo, de cabeza amelonada, miope... pero también delgado, demacrado y un poco lascivo, como Gaspar Parra. Un bondadoso viejo verde, portero jubilado, oriundo de Ciudad Real, aficionado a observar a la gente (sobre todo a las mujeres) y a escribir.

Con el mismo sistema emergió la madre. Sería tan «materna» como Ninfa y tan alcohólica como Rosalía Guerrero. Temerosa como Ninfa, enamorada de un hombre inquietante como Rosalía. De ojos grandes y asustados, envejecida. Sus labios delatarían olor a alcohol.

«Y el azar me favorece –reflexioné–. Porque *ella* ha salido al abuelo en la delgadez y la miopía y a la madre en los ojos grandes y asustados.»

Usé los nombres inferiores y trastoqué los apellidos: el abuelo se llamaría Gaspar Guerrero; la madre, Rosalía Parra. Abuelo paterno y madre: el comienzo de una familia cualquiera.

¿Quién faltaba?... El padre. Pero el desconocido y Grisardo me sugerían un padre absurdo: que «me miraba» y a quien «no conocí».

He ahí el dilema.

Al pronto pensé en desechar los dos últimos

papeles y escoger otros, pero enseguida opté por respetar las leyes del juego. Ahora bien, ¿qué clase de hombre podía elaborarse con aquellas dos tenues circunstancias? «Quizá el padre había muerto cuando ella nació», pensé. Pero no era cuestión de matarlo tan rápido. No podía matar al padre antes de inventarlo. «Quizá se había divorciado de su madre, y ella nunca lo conoció: casos así son muy frecuentes». Pero entonces, ¿cómo utilizaría lo de «me miraba»? Un padre muerto o desconocido no miraba a nadie. Medité en el curioso problema. Sherlock Holmes acostumbraba a decir: «Cuando has eliminado todo lo imposible, lo que queda, por improbable que parezca...».

La única solución que se me ocurría era absurda, pero era la única. «El padre estaba en casa, convivía con ellas, pero era un *desconocido*. Miraba y callaba. Miraba y escribía. Ni su propia hija lo había conocido jamás.» Una conclusión un poco confusa, pero allí estaba.

El nombre también se resistía. «Grisardo» era un simple apodo, y si bien yo sabía que Cara Fofa se llamaba Adán, no me parecía correcto utilizar aquella información de buenas a primeras. El papel decía simplemente «El desconocido», y así se debía quedar, si es que deseaba respetar al máximo mis propias reglas y evitar en lo posible mis intromisiones.

En el padre, hasta el nombre era un problema.

No sucedía lo mismo con el nombre de mi personaje. Incluso me parecía que el azar volvía a beneficiarme. «Cara Fofa ha inventado a una muchacha... ¿Por qué no llamar a la mía de la misma forma?» Los padres son los que bautizan a los hijos: si Cara Fofa (o una mezcla de Cara Fofa y Grisardo) era el padre de mi personaje, el «autor de sus días», como suele decirse, lo lógico era que mi personaje se llamara como él había decidido: Natalia.

Natalia Guerrero Parra. *Eureka*. Sonara bien o no, fuera bello o feo, nadie podría acusarme de haber inventado conscientemente aquel nombre. Me había sido impuesto por las circunstancias, sobre la base de tres o cuatro leyes no muy distintas de las que rigen la realidad.

A las 6:30 de la tarde del lunes 26 de abril, Natalia Guerrero Parra tenía ya un esbozo de biografía. Usé mi propio cumpleaños (que también era un dato inevitable) y la ciudad de su abuelo paterno para traerla al mundo.

Natalia Guerrero nació en Ciudad Real el 13 de abril de 1964. Hija única, vivió gran parte de su infancia rodeada por sus abuelos paternos (su abuela murió pronto; ella recuerda, sobre todo, a su abuelo Gaspar Guerrero) y sus padres. De su abuelo, que había sido portero, aficionado al vino, con fama de mujeriego, Natalia heredó la pasión por escribir. El anciano gustaba de redactar cuentos en los que una niña –Elisita– se comportaba como ella. Después se los leía a su nieta por las noches. Eran cuentos inocentes, llenos de ternura. Natalia los recuerda con mucho cariño. Cuando su abuelo falleció, la infancia de Natalia terminó de golpe.

Su madre, Rosa, una mujer tímida, débil y muy dependiente de su esposo...

A partir de aquel punto, todo me costó más trabajo. La niñez con el abuelo Gaspar había sido otra cosa. Pero cuando afronté el comienzo de la adolescencia, lo vi todo negro. A su modo, no había nada que reprocharle a la madre; siempre había velado por la salud de su hija, como Ninfa por la mía («¿Adónde vas, mi niña? ¿De dónde vienes?»: Natalia recuerda sus constantes preguntas, sus inagotables consejos, su disgusto cada vez que ella decidía salir fuera del nido). Pero su condición de persona dependiente (de la bebida, de un hombre que la ignoraba) la había convertido en un ser asustadizo y represivo. Era fácil deducir que Natalia había sido educada en el aprendizaje del temor, y ello había reforzado su soledad para el resto de su vida. Quizá también había heredado cierta afición a beber más de la cuenta. En todo caso, la influencia materna no representaba ningún misterio en la vida de mi personaje. Natalia podía *comprender* a su madre, de la misma forma que yo comprendía a la criatura elaborada con Ninfa y Rosalía Guerrero. Pero ¿y el padre?

El padre continuaba siendo un enigma.

En algún momento de la tarde, una soprano horrorizada me sobresaltó con sus gritos. Un instante después descolgué el teléfono.

—¿Cómo va, señor Cabo? —Era Neirs.

Le conté mis progresos: había terminado la descripción física, pero la biografía presentaba el obstáculo del padre. Aún no había logrado imaginar nada al respecto.

—Mi consejo es que siga indagando en él —dijo Neirs—. No lo rehúya. Le otorgará más realismo a Natalia si profundiza en el padre.

—Veré lo que puedo hacer.

—Y no pierda tiempo: Ovidio ha publicado su segundo libro.

Lo escuché como si estuviera soñando. «*Repleto de fantasía 2*» era muy similar al primer volumen, apenas tres o cuatro páginas, y, en contra de lo esperado, no relataba ninguna escena sádica. Se limitaba a describir, con ligeros pormenores, un maniquí femenino.

—¿Comprende lo que eso significa? —observó Neirs—. Está intentando convertir a esa mujer en un objeto. Usted, por el contrario, lucha por darle vida. Recuérdelo: tiene hasta la noche de hoy. A las once y media iré a su casa y recogeré todo lo que haya escrito. Ánimo.

Cuando Horacio Neirs colgó, recorté otro rectángulo de papel que uní al grupo de «Personas»:

14. Natalia Guerrero: real.

Me había propuesto conseguirlo: crear a una mujer de carne y hueso, tan verdadera como el papel donde la imprimiría.

«Una vida contrarreloj»: así hubiera podido titularse aquella extraña biografía que mis dedos arañaban (incansables perros feroces atados a mis manos) sobre los huesecillos de las teclas. Surgían las anécdotas, los momentos felices y las lágrimas. La historia no revestía especial dificultad: creo que fue Tolstoi quien dijo que todas las familias felices se parecen entre sí, pero erró al afirmar que las desgraciadas son diferentes. En realidad, la vida (lo descubrí en aquel momento) carece de imaginación: un bebé, una abeja y una foto amarilla olvidada en un álbum poseen innúmeras réplicas, todas iguales. El pasado de cualquier ser humano es idéntico al de todos; sólo nos diferenciamos a la hora de contarlo. Fue sencillo inventar fiestas, navidades y juguetes para Natalia; insomnios, pesadillas y terrores emergieron con similar facilidad.

Dejé un espacio en blanco para el padre. Abordaría aquel problema en último lugar.

Oscurecía cuando escribí que Natalia se hallaba triste. Que su juventud, encerrada en casa con una madre alcohólica y un padre enigmático, había sido solitaria... ¿Y al llegar a la universidad? ¿Se había quedado en Ciudad Real? ¿Había emigrado? Como deseaba que todo fuera azaroso, escogí dos rectángulos de «Sucesos»:

3. Casa de Mirasierra: desde hace 7 años.
8. Ella goza con sus fantasías.

De modo que Natalia vivía en una casa como la mía, en Madrid, desde hacía 7 años. Era de suponer que había venido antes a la ciudad, quizá para acabar sus estudios de Filología Clásica y abrirse camino como escritora. Porque «Ella goza con sus fantasías» me hacía pensar en mi propio trabajo. Natalia había heredado aquella pasión de su abuelo Gaspar. Obtuve su bibliografía de mis propios títulos, deformándolos ligeramente: *Soy yo quien me mira desde el espejo* (1989), *Encuentro tenue* (1991), *La mujer de los sábados* (1995). Ya estaba; ésas eran las novelas de Natalia Guerrero. Nada de premios Bartleby; simplemente buenas ventas, sobre todo del último libro. Traducciones. Había podido permitirse comprar una pequeña casa en una urbanización del norte. Durante un tiempo había enseñado latín y griego en un instituto, pero lo había dejado. Su tesis doctoral versaba sobre las *Metamorfosis*.

Ya tenía a Natalia Guerrero, filóloga, escritora, viviendo sola en Madrid, mimada por un relativo éxito. ¿Y cómo era su vida actual? ¿Se había casado? ¿Tenía hijos?

Con aires de sibila frente a un mazo de cartas, escogí otros dos «Sucesos».

7. Soledad, vacío, depresión.
1. Casi me mato con el coche el día de mi cumpleaños.

«¿Por qué, Natalia? –pensé–. Vivías en Madrid, triunfabas como escritora, lo tenías todo... ¿Por qué, de repente, sumida en la más profunda de las tristezas, decidiste coger el coche y *matarte* el día de tu cumpleaños?» La idea se me había ocurrido al ver aquellos dos papeles juntos. Al principio pensé en rechazarla y escribir: «un accidente». Pero de nuevo acaté las leyes del azar. «Un intento de suicidio», gritaba la funesta combinación de rectángulos. Pero ¿por qué? ¿Problemas amorosos? ¿Una enfermedad? No se me ocurría nada plausible.

Desesperado, saqué otro «Suceso».

9. Búsqueda y laberinto.

Aquel dato no me ayudaba: más bien, me enfrentaba cara a cara con el enigma. «He llegado al nudo gordiano –pensé–. La vida de Natalia es un laberinto. Mi juego es una búsqueda. Ahora estoy en el centro de ambos.» Revisé los papeles previos en busca de pistas, y tropecé con el Gran Desierto Blanco de la figura paterna. «Quizá la clave resida en él. Necesito inspiración. Algo que me ayude a inventármelo.»

En ese instante sonó el timbre de la puerta. Al levantarme, comprobé que me sentía muy débil, casi mareado; no había comido en todo el día. Por otra parte, aquella visita sorpresa me intrigaba. ¿Quién podía ser? Aún era pronto para que se tratara de Neirs. Salí al pasillo y llamé a Ninfa sin obtener respuesta. Pero mi estado de ánimo no me permitía, en aquel momento, preocuparme por el paradero de mi criada. Me tambaleé hacia la puerta y abrí.

Enmarcado en el umbral, con su inevitable traje gris, estaba el hombre de la cara fofa.

–Soy Adán Nadal, señor Cabo. ¿Me recuerda? ¿Puedo pasar?

«Lo siento, estoy muy ocupado.» Estas palabras viajaban hacia mis labios cuando le oí murmurar:

–Se trata de Natalia. Me obsesiona.

–A mí también –repliqué.

Lo invité a pasar a mi despacho. «Quizá él pueda inspirarme», pensaba. Nos sentamos frente a frente y empezamos a observarnos. Lo vi sacar el cuaderno y la pluma. Yo hice lo propio con mi libreta negra de la clínica.

–Disculpe mi visita –dijo–, pero ya sabe cómo es la servidumbre de la inspiración. No puedo dejar de pensar en ella.

–Yo tampoco. Estoy escribiendo una novela con un personaje del mismo nombre.

–¡Eso es una maravillosa coincidencia! –Se admiró.

–Así es.

–Quizá podamos ayudarnos mutuamente.

–Quizá.

Hubo un silencio repleto de propósitos. Pensé en dos jugadores de ajedrez elaborando la apertura.

–Pues empiece usted, si no le importa –dijo Adán Nadal–. Ya le expliqué ayer que no puedo inventar nada.

–Mi problema es el padre –dije. Cara Fofa hizo un gesto con la cabeza y anotó algo–. No consigo imaginar qué clase de persona era. ¿Tiene usted alguna idea al respecto?

–Le confieso que no. ¿Y usted?

–Lo único que sé es que era un desconocido que no dejaba de mirarla.

–¿Nada más? –se intrigó Cara Fofa–. Qué extraño.

Me encogí de hombros.

–En realidad, no es tan extraño: me he inspirado en usted, como usted en mí. –Sonrió discretamente y anotó algo. Proseguí–. El padre era un individuo enigmático. En cuanto a la madre, se trataba de una neurótica que abusaba del alcohol.

–Entonces todo queda explicado –dijo.

–¿Usted cree?

–El padre tenía que aguantar a una mujer insoportable.

–¡La madre no era insoportable! –protesté–. En cualquier caso, tenía tanto derecho a existir como su marido.

El hombre de la cara fofa agitó una mano.

–No he dicho lo contrario –repuso–. Sólo he planteado una posible explicación para el carácter del padre. –Y agregó, en tono lastimero–: Póngase en su lugar.

«Quizá tenga razón», pensé, y anoté el dato.

–¿Cree usted que él amaba a su hija? –pregunté de improviso.

–¿Y usted? ¿Qué cree?

–Le he preguntado su opinión.

Se removió incómodo en el asiento.

–Ya le he dicho que me cuesta mucho trabajo inventar –dijo–. Pero lo lógico sería que la amara, ¿no? Era su padre.

–Entonces ¿a qué se debía su silencio?

–No comprendo.

–¡Su silencio y su frialdad! –exclamé–. Natalia recuerda, sobre todo, su mirada... Él la miraba y callaba, la miraba y callaba. ¿Por qué? ¿No era capaz de manifestar emociones? ¿No deseaba mostrarle cariño a su única hija?

Cara Fofa anotó algo y me miró sin responder.

–¡Dígame! –pedí.

–Prefiero que sea usted quien lo diga.

«Me deja solo –pensé–. Quiere que las respuestas las obtenga yo.» En mi escritorio se hallaban desperdigados los papeles. Cogí el de Musa y lo contemplé. Se me había ocurrido una idea.

–Usted se basó en el cuerpo de una modelo para describir a Natalia –dije–. Su mujer perfecta. Pero mi Natalia no es así, aunque le hubiera gustado serlo... Hubiera querido convertirse en la clase de mujer que a su padre le agradaba... ¡A ella le hubiera gustado ser una modelo, si con ello, al menos, lograba que él dejara de mirarla en silencio y reaccionara! ¡Ella sólo pedía unas gotas de cariño! ¡Fue lo único que pidió durante toda su vida! –Anoté aquel dato mientras hablaba–. ¿Y qué obtuvo? ¡El silencio y la mirada de su padre! ¡Para mí, eso sólo puede definirse de una forma: «desprecio»! –Vacilé, sin decidirme a apuntar aquella palabra. Cara Fofa me escuchaba con profunda atención; sólo bajaba la vista para escribir en su propio cuaderno–. ¿Sabe en qué se convirtió ella? ¿Quiere saberlo? Con una madre que ahogaba en alcohol sus temores atávicos hacia los hombres y un padre que no tenía tiempo ni ganas de ofrecerle una mínima parte del amor que ella reclamaba... ¿Quiere saber en qué se convirtió?

–Soy todo oídos.

–En una mujer solitaria, temerosa y excéntrica. Una ermitaña, una acomplejada... Una Dafne obsesivamente virgen, transformada en el «laurel» de sus éxitos literarios. –Anoté todo aquello. La inspiración se había desatado en mi cerebro, había roto los diques. Movía el bolígrafo al mismo tiempo que hablaba–. Y cuando su madre murió, ella...

Cara Fofa, que estaba apuntando algo en su libreta, se detuvo y dijo:

–Ah. ¿Su madre murió?

–¡Sí! ¡Cuando Natalia tenía 17 años!... ¿No es usted viudo? ¡Pues pongamos que la madre murió!

–Muy bien.

Hubo un silencio muy puro mientras ambos apuntábamos aquel dato.

–Cuando su madre murió, ella supo que nada la ataba a la casa de sus padres. Y vino a Madrid. Sola. A estudiar filología y abrirse paso en una afición que le había gustado desde siempre: escribir.

En aquel momento Cara Fofa abrió desmesuradamente los ojos. El repentino cambio de su actitud casi me asustó. Un súbito maquillaje adornaba sus redondas mejillas.

–¡Oh! ¡Abandonó a su padre, que en aquel momento estaba solo! –exclamó.

–¡Sí! ¡Porque hubiera sido incapaz de convivir con él! ¡Se había hartado de su silencio! ¿Es que no lo entiende?

Cara Fofa se secaba el sudor con un pañuelo doblado.

–Es difícil de entender... ¿Y después? «Soledad, vacío, depresión», recordé. Y se hizo la luz en mi interior. Las piezas empezaron a encajar con pavorosa sencillez.

–Él murió –dije sin la menor vacilación, mirándolo fijamente a los ojos–. Agonizó en un hospital de Ciudad Real. Ella no fue a verlo ni siquiera entonces.

–¿Cuándo ocurrió eso? –preguntó Cara Fofa con expresión agonizante.

–En diciembre de 1998. «Y de esta forma, el rompecabezas queda listo», razoné. Añadí:

–Y ella se deprimió después.

–¡Y qué! –Adán Nadal había pronunciado esto en un tono muy amargo. Nos retamos con la mirada durante un instante–. ¡Y qué, si se deprimió! ¡Abandonó a su padre cuando él *más la necesita-ba*!... ¡No fue a verlo al hospital mientras *agonizaba*!... –Su furia me sorprendía. Se había erguido en el asiento. Expulsaba cristales de saliva con las palabras. Bizqueaba hasta extremos inconcebibles: como si sus ojos pugnaran por fundirse en uno solo, inmenso, teológico, en el centro de aquel ceño bañado de sangre–. ¡Eso es un error!... ¡Eso está mal!... ¡Debe usted cambiarlo!...

«Tiene razón», pensé. Revisé mis notas rápidamente, buscando alguna explicación que ofrecerle. Al fin dije:

–Ella hizo mal, es cierto. Pero saldó sus cuentas con *el intento de suicidio.*

Cara Fofa se calmó de inmediato.

–¿Intento de suicidio?

–Natalia se deprimió tras la muerte de su padre. Quiso quitarse la vida en abril de este año.

–¿De qué forma?

–Se estrelló con su coche.

«Oh», dibujaron los labios de Cara Fofa, pero no escuché sonido alguno.

–¿Sobrevivió? –dijo mientras escribía.

–Sí. –Y, tras una pausa, pregunté–: ¿Qué cree usted? ¿Él sería capaz de perdonarla?

Se encogió de hombros.

–No lo sé. Le repito que me resulta muy difícil inventar. ¿Y ella? ¿Lo ha perdonado a él?

–Sí –dije, y lo anoté–. Lo ha perdonado muchas veces, en el silencio del insomnio y la inspiración, frente al teclado del ordenador, por boca de sus personajes, una y otra vez... No ha podido comprenderlo, pero lo perdona. Perdona su frialdad, su distancia, su carácter siempre enigmático... Sigue viendo sus ojos grandes y fijos, percibe aún la misma falta de cariño que sufrió durante toda su vida por parte de... de... –Y el nombre surgió de repente, como un vómito–: *Adán Guerrero, empresario...* –Me detuve y observé a Cara Fofa–. Natalia estaba sola y era una niña. Su padre no fue capaz de comprender eso.

–¿Y ella? –dijo Cara Fofa–. ¿Se perdona a sí misma?

Lo pensé detenidamente. Era una pregunta extraña. No me la había planteado aún.

–Eso es algo que tendré que decidir –respondí.

De improviso mi interlocutor recogió sus papeles y se incorporó.

–¡Ah, señor Cabo, estoy emocionado! –Me tendió la mano–. Es la felicidad del hallazgo, ¿verdad? Ya pueden darse la mano el padre de Natalia y Natalia... Creo que han terminado comprendiéndose. Revisaré y reformaré mi novela enseguida. ¡Esta visita ha resultado muy productiva... confío en que para ambos! –Asentí con un gesto–. Nada de padres enigmáticos ni hijas ideales... ¡Seres humanos, con sus defectos y virtudes!

Se detuvo en la puerta y añadió, satisfecho:

–El padre ya puede morir en paz.

Y su figura desapareció en medio de la noche.

Adán Guerrero, el padre de Natalia, era empresario. Fue siempre un hombre taciturno, frío, poco dado a los suaves rituales del cariño. Su mirada era fija y vidriosa; su bigote, oscuro; la apariencia, robusta; su color preferido, el gris. Un vestigio de sus pálidas facciones –los rasgos fofos, el rostro redondo– persiste en la cara de Natalia, que también heredó de él la frialdad y la diamantina dureza de carácter. Cuando la madre murió, Natalia se marchó de casa. Nunca más volvió a ver a su padre. Los orgullos mutuos eran polos del mismo signo:

cuando uno de ellos avanzaba, el otro retrocedía. Adán Guerrero murió, tras encarnizado combate con su propia vida, en diciembre de 1998. Una escueta llamada de su tío paterno informó a Natalia del estado de su padre, pero ella permaneció en Madrid. Otra breve llamada...

Terminé de narrar el largo y doloroso proceso de la muerte de Adán Guerrero a las once en punto. Natalia había recibido la noticia con frialdad, pero, poco a poco, había empezado a deprimirse. Y el día de su cumpleaños había apretado el acelerador de su Opel cada vez más mientras un vago sentimiento de hastío y desprecio hacia sí misma arrasaba todos sus recuerdos. A ella le había intrigado aquella conducta, ya que siempre había pensado que su padre no le importaba. Pero ahora sabía el motivo. Su padre le había importado *demasiado*, y ahora lo sabía.

Mi personaje estaba listo.

«Dios mío –rogué–, haz que sirva para salvar a esa mujer. Ayúdala, Dios mío, salva su vida, sea quien sea, sálvala, te lo suplico.»

Faltaba completar algún que otro aspecto de la historia (particularmente, el estado actual de Natalia tras su intento de suicidio), pero me sentía extenuado. «Cerraré los ojos. Será sólo un momento», pensé, y eché la cabeza hacia atrás (para no dormirme sobre el teclado). Recuerdo el sueño que tuve: un gran laberinto de libros cuyos pasillos recorría buscando la salida. Al fondo me aguardaba *ella*: con su vestido negro, su espalda desnuda, su pelo castaño claro atrapado en un moño. Pero entonces aparecía el Shakespeare del Parque Ferial, y yo descubría –por fin– el rostro que se ocultaba tras el disfraz. Grité, pero era como si lo hiciera desde la distancia y yo mismo lo escuchara tras un intervalo, como un trueno. Entonces mi grito cesó y volvió a reanudarse tras una pausa. Desperté sobresaltado y contesté al teléfono.

–¿Señor Cabo? –una vocecilla lejana pero firme–. Soy Virgilio.

Me desperté del todo. ¿Qué hora sería? Eché un vistazo al reloj digital de la pantalla del ordenador: 23:15. Dentro de 15 minutos vendría Neirs a recoger mi trabajo. Pero lo más urgente era contar lo que acababa de recordar.

–Debemos vernos esta misma noche –dijo Virgilio–. Hay algo que usted no sabe.

–¡Espere! –exclamé–. ¡Ayer, en el Parque Ferial, vi...! No recordaba quién era, pero ahora lo sé... ¡El poeta muerto! ¡Grisardo! ¡Estaba disfrazado como uno de los escritores, pero estoy seguro de que era él!...

Replicó, sin inmutarse:

–Y lo era. Por eso lo llamaba. Lo han estado engañando, señor Cabo. Desde el principio.

XIV
EL ENGAÑO

–Es un plan minuciosamente elaborado –dijo Virgilio–, no puede imaginarse hasta qué punto. Yo colaboré, lo confieso, debido a cierta promesa. Pero esa promesa no se ha cumplido, y por eso he decidido contarlo todo.

Uno de los relojes digitales del Paseo de la Castellana mostró los tres ceros, dando comienzo así al martes 27 de abril. El tráfico no era denso a medianoche y el pequeño Peugeot de Virgilio podía seguir con facilidad al Audi oscuro en que viajaba Neirs. Éste se había presentado en mi casa puntualmente para recoger los folios que había escrito sobre Natalia Guerrero. «No hay tiempo que perder –dijo–. Intentaré que los publiquen mañana mismo.» Virgilio, que ya había llegado, aguardaba escondido en mi despacho.

–Sigámoslo –me indicó en cuanto Neirs se marchó–. Así se convencerá usted de que no le miento.

No había querido revelarme nada. Lo único

que logré comprender fue que ambos habían representado un papel fundamental en aquel engaño, pero que él había optado por delatarlo debido a que se sentía traicionado. El resto, Virgilio lo dejaba a mi imaginación. Sólo de vez en cuando, mientras conducía (hundiendo con su cuerpo la cima de una colina de almohadones), se volvía hacia mí para plantearme diversos enigmas. ¿Sabía yo que en los archivos de la policía de tráfico no constaba ningún accidente de tráfico en la M30 la noche del 13 de abril? ¿Sabía que la clínica privada a la que me trasladaron era tan privada que carecía de pacientes? Yo lo escuchaba con los ojos muy abiertos.

–Ah, pero, claro, usted qué va a saber. Usted ha perdido la memoria, y eso era parte del plan.

–Y, de improviso, lanzaba frases como–: Los perros ladran a nuestro alrededor, señor Cabo.

–Pero yo no podía entender a qué se refería.

Conducía con especial habilidad –diríase que «con furia»– el Peugeot especialmente diseñado para él. Pronto comprendí que me llevaba de adorno: un fetiche oscilante colgado del retrovisor a quien poder dirigir sus pensamientos en voz alta.

–El señor Neirs va a embolsarse una GRAN suma por este caso, pero no procederá de usted. Alguien le paga desde la sombra. En cuanto a mí, ya no quiero nada. Sólo pretendo limpiar mi imagen. He trabajado en su agencia MUCHOS años, quizá DEMASIADOS, y... ¡Espere! ¡Quieto!

El aviso era absurdo, porque yo no me había

movido ni hubiera podido hacerlo: la tensión me hundía en el asiento. Era obvio que algo sucedía en el caos de puntitos rojos más allá del parabrisas (quizá Neirs se había desviado del recorrido previsto), pero me daba igual: decidí dejar a Virgilio la entera responsabilidad de la persecución. Cambió de marcha con energía al introducirse por una de las avenidas paralelas de Recoletos. Los coches protestaron con frenazos y cláxones.

–¡Ah, pillín, pillín! –musitaba mientras sus manos jugaban con el volante–. ¡Ah, qué pillín eres!

Nos habíamos detenido junto al bordillo. Una jauría de vehículos nos adelantó. Virgilio hizo caso omiso a los gritos de los conductores.

–¿Lo ve? –dijo–. Se ha metido en ese aparcamiento. Pero ya sé adónde va... Y ahora también lo sabe usted.

Se volvió para mirarme y en sus ojos de piedra aprecié un fulgor compasivo. Él conocía la verdad; yo empezaba a sospecharla. Mi cuerpo coleccionaba síntomas: palidecía, sudaba, soportaba escalofríos; mi estómago era una roca helada dentro del vientre.

–Voy a entrar –dije.

El enano respiró con fuerza y retuvo el aire. «Es difícil, muy difícil que lo dejen, señor Cabo.» «Me dejarán», repliqué. Convinimos en que me esperaría allí, sin moverse del coche. Cerré la portezuela y caminé tambaleante hacia el inmenso y oscuro vestíbulo. En la pared del portal, unas palabras en finas letras de molde –la primera, ele-

gantemente resguardada por dos eses serpenti-
nas– figuraban en una placa mucho más humilde
de lo que, en principio, cabría esperar.

SALMACIS
EDITORIAL

El horario que anunciaban las puertas correde-
ras no tenía nada que ver con la madrugada,
pero, mediante un pequeño timbre, convoqué la
melodiosa voz de una pulcra secretaria. «Soy
Juan Cabo –dije–.«Quiero entrar.» Y fue como si
mi nombre se convirtiera en una llave de oro. Las
puertas se apartaron en silencio y penetré en las
tinieblas del complejo edificio. Parecía vacío, pero
yo sabía que Neirs se hallaba en alguna parte, y
no me detendría hasta encontrarlo.

Se escuchaban ecos poderosos; parpadeaban
lucecitas rojas; varias cámaras zumbaban filman-
do mis movimientos. Atravesé un patio aboveda-
do de cristal y sembrado de jungla donde, sin
duda, todas las mañanas laborables se dispondría
una fila de núbiles recepcionistas esperando ganar el concurso a la Mejor Sonrisa Salmacis. Más
allá, junto a un sombrío ejército de ascensores,
destacaba un mapa fosforescente que mostraba
las geométricas vísceras del edificio con un punto
color fuego, pupilar, y una flecha indicadora:
«Usted Está Aquí». Ignoraba adónde tenía que ir,

pero pensé que sería mejor comenzar por la cumbre. Subí al último piso e inicié una odisea de pasillos azules y misteriosas islas de despachos vacíos. «Usted Está Aquí» fue desplazándose conmigo en sucesivos mapas. Me pregunté qué ocurriría si me arrojaba por una ventana en aquel momento. ¿«Usted Está Aquí» señalaría el asfalto donde mi cabeza se desangraría? ¿Se convertiría, progresivamente, en «Usted Empieza A No Estar Aquí», «Usted Apenas Está Aquí», «Usted Ya No Está Aquí», «Usted No Está»?

Alguien se acercaba (escuché los pasos). Oculto en un recodo, pude distinguir la aparición súbita de un cadáver vestido con cazadora y vaqueros. Tarareaba una cancioncilla y sus largos pelos ralos seguían el ritmo como una escoba puesta al revés. Lo reconocí enseguida y me abalancé sobre él. Grisardo soltó una maldición y un instante después mi nuca golpeó violentamente el «Usted Está Aquí» del mapa de turno colgado en la pared. No respondí a su puñetazo (y por un momento la sien izquierda no me dolió). En cambio, acepté su oferta de persecución. Iniciamos una breve carrera por los pasillos vacíos. De sobra es conocida la mutación física que provoca la desesperación: uno se vuelve más fuerte, más alto, más largo. Haciendo uso de tal poder, extendí el brazo derecho y mis dedos realizaron un supremo esfuerzo articular para atrapar a mi presa. Esta vez fue su cabeza la que rebotó contra la pared. Le apoyé el codo en la garganta. Intentó rechazarme.

–¿Está... loco? –farfulló.

Hubo un breve diálogo de jadeos. Y entonces sí, entonces mi sien izquierda empezó a imponerse y sentí el demorado dolor del golpe. Abandoné la lucha. Grisardo se frotaba la nuez. Ahora que lo veía de cerca, me parecía que tenía rostro de pájaro. Su nariz era un pico desagradable.

–¡Volvería a hacerlo... si me pagaran! –dijo con voz ronca.

Al acudir en auxilio de mi sien, mis dedos tropezaron con un edificio metálico. Las gafas seguían en su sitio, mi cabeza también. Yo Estaba Allí, aunque mareado y dolorido. Grisardo hizo una mueca.

–Y a mi vecino, Eustaquio Cuadrado, le encantaría volver a contar mentiras... Él también escribe, ¿sabe?... Todos los escritores somos mentirosos.

«No todos», pensé. Y creo que lo dije en voz alta, pero no lo recuerdo. Él repitió su última declaración, como si se tratara de la única verdad que conocía. Y añadió:

–Pero, claro, no somos tan importantes como Juan Cabo. Nosotros trabajábamos para usted, ¿no lo sabía? ¿Se da cuenta de la cantidad de gente que trabaja para escritores como usted? –Alzaba cada vez más la voz, como si escucharse a sí mismo lo enfadara–. ¿Piensa en ellos en algún momento? ¿Le importan un carajo?... «Negros», correctores de pruebas, impresores... y los que hacemos el trabajo más sucio, *modelos de escritores* a tiempo parcial... ¿O acaso creía usted que Musa era la única?... ¡Mire a su alrededor y nos encontrará por todas partes! ¡Nos disfrazamos como nos exigen y hacemos lo que nos ordenan!... ¡Incluso a veces nos permiten escribir, como a mí, pequeños poemas! ¿Sabe lo que es ganarse la vida? ¿Lo ha sabido alguna vez, o se lo han dado siempre hecho?

Sus palabras viajaban húmedas hacia mi rostro. Desvié la vista.

–¡Ni siquiera podemos desempeñar bien nuestro oficio! ¡Pero la culpa no es nuestra, sino de la miseria de vida que llevamos! ¡Ya sé que usted me reconoció ayer en el Parque Ferial, y que el plan estuvo a punto de fracasar! ¿Pero sabe por qué ocurrió eso? ¿Lo sabe? –Y alargó el cuello para espetármelo–. ¡Porque soy un pluriempleado!

A continuación, sin embargo, escogió un tono extrañamente tranquilo, como si hubiera decidido que ya se había desahogado lo suficiente. Era la forma de hablar que yo ya conocía, sus «hums» habituales, el lenguaje dubitativo de su llamada telefónica. Volvía a ser el gris Grisardo.

–Modelo de escritores, «negro» de editorial, hombre anuncio... Todo eso soy yo, y muchos otros como yo... En mi tiempo libre... hum... soy poeta. Lamento haberle engañado, si es eso lo que le molesta... ¡Pero quiero que lo sepa: lo hago por necesidad!

–¿Dónde están? –dije–. Salmerón y Neirs –agregué al no obtener respuesta–. Usted acaba de verlos, ¿no? Ha venido a cobrar, ¿verdad? ¿Dónde están?

–En el despacho del fondo –murmuró. Había regresado a la adolescencia por completo. Era como si su capacidad de madurar residiera, mágicamente, en sus gritos.

Me alejé de Grisardo y recorrí el pasillo hasta encontrar la puerta. Entré sin llamar.

El despacho era inmenso, y a través de sus ventanas se dominaba el Recoletos nocturno. Atisbé a Salmerón sentado en la lejanía, tras un gigantesco platillo volante en forma de escritorio que resultó ser –lo comprobé al acercarme– una versión bastante aceptable, en metal cromado, del símbolo del yin y el yang. A mi derecha, en una butaca giratoria, cruzaba las piernas y fumaba Horacio Neirs. En el lado opuesto, un joven vestido de negro se dedicaba a depositar en una pequeña caja blanca las piezas de un juego de ajedrez. Apartado de aquel trío y ocupando una mesa más pequeña y repleta de ordenadores, se hallaba un individuo calvo y delgado con aspecto de funcionario. Fue éste quien se levantó, sonrió y avanzó como si levitara sobre la tersa moqueta oscura. La habitación olía a maderas nobles.

–Soy el secretario personal del señor Salmerón. ¿Tendría la bondad de sentarse, señor Cabo?

Me indicaba un amplio sillón frente al escritorio. No le hice caso y permanecí de pie. Clac. Otra pieza fue a parar a la caja. Entre ésta y Salmerón se hallaban los folios que Neirs se había llevado de mi casa.

–Acaban de leerme algunos párrafos escogidos de tu personaje. Te felicito, hijo. –Mi editor se aplastó los blancos cabellos con una mano de dedos anillados. Vestía un frac de solapas anchas y se ahorcaba con una grotesca pajarita de colores; en el ojal, como un tumor irisado, estallaba una orquídea.

–Muchas gracias –dije.

–Percibo cierto reproche en tu voz. –Enarcó las cejas–. ¿Te molesta haber participado en nuestra gran novela?

Por un momento no supe qué contestar. «¿Que si me molesta? –pensaba–. ¡Sería capaz de matarte con mis propias manos!» La expresión de Salmerón era la de un bromista atrapado *in fraganti* al final de una fiesta de cumpleaños.

–Oh, vamos, hijo, en cuanto recuperes la memoria volverás a quererme. Tuvimos que hacerlo así para que partieras de cero. No es mala idea, ¿eh? Escritores amnésicos y sometidos a presión durante dos o tres días, con el fin de que elaboren obras maestras en el menor tiempo posible... En la actualidad...

Y me lanzó un discurso sobre la idea general de que «rapidez» y «perfección» eran sinónimas en nuestro tiempo. No valía la pena pasar toda una vida buscando el tiempo perdido o inmerso en la guerra y en la paz: las creaciones literarias, ante todo, tenían que ser inmediatas, sin menoscabo de la calidad.

–Sin menoscabo –puntualizó el secretario como un eco, o eso fue lo que entendí, porque otra opción válida podía ser: «Sin el señor Cabo».

¿Cómo conseguirlo? Es decir, ¿cómo lograr que un escritor conciba, en poco tiempo, un personaje perdurable? Obligándolo a que trabaje a ciegas –Salmerón se deleitó con la palabra–, bajo presión; haciéndole creer que su obra nada tiene que ver con el vulgar mundo de editoriales y libros sino que servirá para obtener algo sagrado, alcanzar una meta elevada, salvar una vida, etc. Arrancarle la obra del alma, por así decirlo –ésta fue la expresión que empleó–, impedir que cayera en la cuenta de que su labor –escribir– no era otra cosa que inventar mentiras a cambio de dinero.

–El método está patentado –advirtió–. Ya se practica con éxito en varios países.

Clac. Y otra pieza en la caja.

–¿Quién es Ovidio? –inquirí al observar que Salmerón se disponía a proseguir su discurso.

El secretario, desde su sitial electrónico, comenzó:

–Un poeta latino nacido en el siglo...

–Cállate –le ordenó Salmerón. Y volvió a sonreír al dirigirse a mí–. Ovidio no era nadie. Si quieres saberlo, el texto de *Repleta de fantasía* fue redactado por Virgilio Torrent, el ayudante del señor Neirs. Los textos de La Floresta los compuso Felipe, el encargado del restaurante, que gustosamente se ofreció a hacer de «negro» para nosotros. Autores como la pobre Rosalía Guerrero no participaron directamente, pero accedieron a que modificáramos algunos párrafos de sus obras. Todo fue planeado para que creyeras que te enfrentabas a un misterioso psicópata con el fin de salvar a esa mujer.

Cerré los ojos y la vi de nuevo. Su imagen, su camafeo: la espalda desnuda, el moño castaño claro. Reuní fuerzas para hacer la pregunta que más temía.

–¿Y *ella*? ¿Y la mujer de mi párrafo?

–Está aquí. –Salmerón puso la mano sobre los folios–. La has inventado tú, hijo. Natalia Guerrero, 35 años, doctorada en filología clásica y escritora, nacida en Ciudad Real, bajita, delgada, cara de huevo, gafas redondas, pelo castaño, ojos grandes... Su madre, alcohólica, murió cuando ella tenía 17 años. Su padre era un individuo silencioso y poco dado a la ternura. La relación con su abuelo Gaspar es la más agradable que ella recuerda. Vive sola en una casa de Mirasierra y se dedica a escribir. Su padre fallece el año pasado y ella se deprime. Después intenta quitarse la vida con el coche. Me gusta. –Entrelazó sus gruesos, anillados dedos–. Te ha salido una mujer bastante real. Por eso era imprescindible que la señorita Musa Gabbler te traicionara, hijo: para que tú rechazaras apariencias como la suya a la hora de crear a tu personaje. No deseábamos mujeres «de novela», ¿comprendes?... Queríamos a un ser humano normal y corriente, alguien con quien el lector pudiera identificarse.

Ella no existe, decía mi cerebro, sordo a la mayoría de las palabras de Salmerón. *Ella no existe. Ella no...*

–Tú eras un ratón en un laberinto. Tenías que

hallar la salida por ti mismo. Pero nosotros te ayudábamos bloqueándote pasillos cegados; y, a veces, despejándote nuevos corredores. Como cuando te llamé el viernes para que te fijaras en el anuncio de nuestra revista y, al mismo tiempo, advirtieras el de Horacio Neirs y acudieras a él. O cuando te tentamos en el Parque Ferial para impulsarte a que cogieras el libro de Rosalía Guerrero. O cuando hicimos que te siguiera un modelo de escritores, Adán Nadal, para ayudarte a construir al padre de tu personaje... Modelos y escritores: ésa ha sido siempre la fuente de todas las novelas. Lo que ocurre es que en épocas pasadas era el modelo quien lo ignoraba todo. Ahora es el escritor el que no sabe nada. Reconozco que el plan resulta un poco caro, pero lo amortizaremos pronto. ¿Sabías que la primera entrega de *Madrid en tiempo real* se está vendiendo muy bien? –Y, con espectacular simetría, el joven vestido de negro y el secretario sonrieron. Salmerón, que no los veía pero presentía sus sonrisas, los imitó–. ¿Sabes por qué? Porque el público disfruta con la *forma* en que ha sido realizada: los escritores montando guardia toda la noche, copiando cada suceso que ven... Hoy día, el lector goza mucho más de la solapa que del texto. Es el síndrome del *Cómo se hizo*, ¿comprendes? Al público le encanta destripar el juguete para ver cómo funciona. Nosotros, en realidad, no vendemos libros: *vendemos solapas*, hijo. Cuando tu personaje se publique, contaremos cómo fue planeado todo, y te aseguro que las ediciones se agotarán con rapidez...

Y lanzó una risita de satisfacción mientras sus dedos tamborileaban sobre la mesa. El joven del traje negro cerró la tapa de la caja. Recostado sobre la butaca giratoria, Neirs dijo:

–Acláreme una cuestión, señor Cabo: ha sido mi ayudante quien lo ha traído hasta aquí, ¿no es cierto?

El joven depositó la caja en una estantería lacada, como si se tratara de un adorno. «Cuando termina el juego las piezas se guardan», pensé mientras lo contemplaba. Ni siquiera me molesté en responder a Neirs.

–Lo hizo por despecho –comentó el detective asintiendo con la cabeza, como si yo hubiera replicado algo–. Quería pertenecer a la plantilla de escritores de la editorial, pero...

–De cualquier forma, ya no importa, Horacio –dijo Salmerón. Y tras un breve silencio–: Vamos, hijo, no te pongas así. Vas a ganar mucho dinero con esto. ¿Quieres comprobarlo? Luis –el secretario giró como un resorte y lo miró–: alcánzame una copia del contrato del señor Cabo.

Se escucharon fugaces pasos de duende sobre las teclas; después, rumor de avispas. La impresora sacó la lengua, blanca y rectangular. En cuestión de segundos, el papel estaba en manos de Salmerón.

–Tú aceptaste y firmaste estas condiciones. Fuiste informado de todo: que se te ingresaría en una clínica para someterte a un tratamiento que te dejaría amnésico temporalmente, que fingiríamos un accidente de tráfico... Toma, Luis. Entrégaselo para que lo lea.

Examiné aquel pacto con el diablo. Mi firma, bajo el epígrafe «El Autor», era idéntica a la que había hecho cuando le dediqué el libro a Huevo Duro, semanas atrás.

–Dios mío –dije.

–¿Qué quieres? –bromeó Salmerón.

–No es la primera vez que un escritor utiliza drogas para inspirarse, señor Cabo –apuntó Neirs, probablemente bromeando también.

–¿Usaste, tal como suponíamos, la libreta que te entregamos en la clínica? ¿Los «Sucesos» y «Personas»? –preguntó Salmerón. Mi silencio debió de parecerse, sin duda, a una afirmación, porque dijo–: ¡Ah, ha sido perfecto! ¡Todas las piezas encajadas al milímetro! ¿Y qué ha surgido? ¿Qué ha nacido en el Madrid de esta gigantesca novela que ahora otros continuarán? ¡Natalia Guerrero, la protagonista!

Un enorme helicóptero se deslizó por encima del secretario en un silencio de cetáceo, sobre el Madrid nocturno de las ventanas.

–Ella no existe –dije. Las palabras se convirtieron, dentro de mi boca, en un puñado de amarga saliva que hube de tragar.

–Te equivocas: claro que existe, hijo. Es tu creación.

–No, la *tuya* –repliqué.

–Tú hiciste lo que quisiste, Juan.

–Tú me obligaste a hacer lo que querías. Ella es tu producto personal.

–El párrafo del ordenador se te ocurrió a ti –reveló Salmerón con calma.

–Pero me lo dictaste tú, estoy seguro.

Mis ojos se hallaban tan ciegos como los suyos en aquel momento. Proseguí, con gélida furia:

–He estado buscando lo que tú querías que buscara desde el principio. He capturado una presa que tú mismo fabricaste... Natalia es tuya. Me has obligado a crearla así, sin atractivo, solitaria, enfermiza...

–Ella ya no nos pertenece, hijo. Los personajes viven su propia vida cuando son creados. –Salmerón hizo una seña. El joven que había recogido las piezas extendió la mano y una flor índigo de un solo pétalo brotó de sus dedos, como la sorpresa de un mago, encendiendo el cigarrillo con boquilla de su jefe.

–He vivido pensando en ella –dije–, obsesionado con ella..., viéndola en mi imaginación...

–Eso era lo que queríamos que hicieras. En realidad, es lo que hacen todos. La única diferencia es que tú no sabías que ella era ficticia. *Creías* en ella. Lo cual, bien mirado, constituye un requisito indispensable para la perfecta creación de un personaje.

Me acerqué a la ventana. La ciudad había mutado: ya no era Madrid sino una compleja babilonia de lágrimas y luces. Quizá se trataba de Nueva York. Parpadeé, y los rascacielos se derritieron goteando pequeñas ventanas iluminadas, como barras de hielo negro.

–Me hago cargo de la dificultad del momento por el que atraviesa, señor Cabo –dijo Neirs a mi espalda–: se había hecho la ilusión de que esa mujer existía. Pero ¿por qué depositó sus esperanzas en la literatura? Ya le dije que, a falta de una solapa, nada de lo que se escribe es real... A usted le ha ocurrido lo que a cualquier lector incauto: ha leído una serie de textos ficticios, ha fabricado sueños breves con ellos, y ahora, a punto de terminar el libro, se siente defraudado...

–Eso es lo que usted piensa, ¿verdad? –dije, volviéndome repentinamente–. Es lo que piensan todos, ¿no es cierto?

–¿Y qué otra cosa vamos a pensar, hijo? –intervino Salmerón–. La literatura es un negocio... Uno escribe un libro; otro lo vende; otro lo compra, lo lee y se distrae. El libro se cierra, se deja en el estante y la vida cotidiana regresa. Y punto. No hay nada más. Un libro no es un ser humano.

Los miré (a Salmerón, a Neirs, a los lacayos) y me parecieron tan pálidos, tan pequeños, tan definibles, que me entraron ganas de reír.

–¡Ninguno de ustedes vale una sola palabra en un papel! –dije. Me dirigí a la puerta.

–¿Adónde vas? –preguntó Salmerón.

–A continuar el juego.

El editor ciego se removía en su lejano asiento.

–¿Qué piensas hacer?

«Escribir», contesté mientras me marchaba (no sé si me oyó).

Al llegar a la calle, observé que el coche de Virgilio había desaparecido. «Virgilio, pequeño, guía –pensé–. Da igual. ¡Que se vaya! ¿De qué iba a servirme ahora? Mi propio guía, mi pequeña pero útil inspiración... Ya cumplió su objetivo.» Después llamé a un taxi. Mientras regresaba a casa percibí el húmedo dolor en mi sien izquierda. Me palpé. Era el golpe que me había propinado Grisardo. Estaba sangrando. «No importa. Este golpe también entrará en el juego.»

Se me había ocurrido la idea más extraña que puede ocurrírsele a un escritor.

Se trataría de mi venganza personal contra Salmerón.

XV
LO QUE ESCRIBIÓ
NATALIA GUERRERO

La idea más extraña, y, sin embargo, la más natural.

He aquí que he llegado al final de esto, que aún no sé cómo calificar. No puedo considerarlo ficción, porque cuenta una historia cierta, ni crónica real, ya que pretendo convertirlo en ficción. Quizá fuera adecuado llamarlo «Natalia Guerrero», porque eso es lo que intentaré: transformar esta obra en mi personaje. No quiero crear una novela sino una mujer. Éste era mi proyecto, mi plan, mi venganza: derrotar la realidad con mi pequeña fantasía, narrar una historia que nadie pudiera considerar verosímil, pero en la que, al mismo tiempo, despuntara Natalia como única realidad. ¿Y acaso hay algo más natural que el esfuerzo de un escritor por darle vida a su personaje?

Salmerón me había llevado a construir a Natalia para su propio beneficio: ahora yo transformaría a Salmerón y a su universo en meras ficciones, su minucioso plan sería el tema de una novela, y él mismo, mi omnipotente editor, un ser abstracto, inventado a expensas de la criatura que más me importaba.

Era consciente de la dificultad a la que me enfrentaba, de la extraordinaria hazaña que me proponía llevar a cabo, totalmente *a cabo*. Pero confiaba en la escritura. Escribir es una labor de brujos, una alquimia secreta. Demostraría a Salmerón, a Neirs, a todos, que el papel y la pluma eran capaces de cualquier cosa. Y que un libro podía convertirse en un ser humano.

Nada más llegar a casa aquella noche –las 2 de la madrugada del martes 27 de abril– me puse a trabajar. Antes, preparé un café bien cargado y me di una ducha caliente, secándome y limpiándome la herida de la frente. No sabía hasta dónde iba a llegar con aquel juego, pero fuerzas no me faltaban. Sentado frente al ordenador, observé los papeles recortados que me quedaban y elegí uno al azar.

3. Salmerón: ciego, poderoso.

«Natalia no cree en ti –decidí pensar–. ¿Quién puedes ser o *qué* puedes simbolizar? Tú buscabas crear a Natalia, pero ni siquiera sabías cómo acabaría siendo ella. ¿Eres el ciego destino o Dios todopoderoso? Da igual. Tu poder, tu omnisciencia, tus múltiples servidores, caerán con un simple gesto de mis dedos en el teclado cuando escriba:

"Natalia no cree en ti, ha dejado de creer en poderes superiores. Es atea desde su más tierna infancia. Piensa que si Él existe es *ciego* y traza en la negrura del azar sus absurdos planes. Natalia se ha liberado de los poderes omnímodos. Cree en ella misma y en sus propias capacidades, como ahora creo yo que todo lo que escribo puede hacerse real".»

Me sentí feliz al comprobar cómo una simple frase escéptica sobre un papel puede herir de muerte a cualquier dios, imaginario o verdadero. El resto de «Sucesos» y «Personas» me pareció sencillo de encajar. Fui distribuyendo los primeros de forma casual, sin seguir un orden marcado de antemano:

5. Cené en un restaurante la noche de mi cumpleaños.
6. Una casa de locos: La Floresta Invisible.
2. Alta tras 8 días de hospitalización.

La historia surgía por sí sola: Natalia había decidido salir a cenar a un restaurante la noche del 13 de abril (no lo hacía de forma habitual, pero quizá aquella noche se sentía muy sola). Bebió más de la cuenta, y la tristeza y las ideas de suicidio se aferraron a ella con más fuerza que de costumbre. A su regreso, decidió quitarse la vida estrellándose con el coche en una curva. Salió ilesa (sólo una herida en la frente), pero fue ingresada en un hospital psiquiátrico. Los recuerdos de aquel misterioso lugar, de aquella «casa de locos» donde se limitaba a comer y escribir, como en La Floresta, están grabados en su mente. Escogí dos «Personas»: «Felipe, insoportable, loco» sería un buen símbolo de los pacientes que la rodearon durante esos días, con sus inexplicables conductas y su lenguaje jeroglífico. «Neirs: elegante, profesional» representaría al psiquiatra que la atendió en su blanquísimo despacho y le pidió que dijera «con absoluta confianza» en qué podía ayudarla. Aquel hombre la había sacado del agujero, y ella lo sabía y lo recordaba con gratitud. Sin embargo, al mismo tiempo, Natalia se había sentido «utilizada» por él, como si sus preguntas la guiaran hacia un lugar de sí misma absolutamente artificial, planeado de antemano.

Perfecto. Apenas había pasado una hora y ya lo tenía: Natalia Guerrero había sido ingresada en un psiquiátrico tras su intento de suicidio. Ocho días después estaba en casa. ¿Y qué había ocurrido entonces? ¿Se había recuperado del todo? ¿Había vuelto a hundirse en las tinieblas?

En la mesa quedaban un solo «Suceso» y dos «Personas». Elegí el primero.

4. Párrafo de la mujer desconocida.

Aquí no había ningún misterio. Natalia era escritora. Antes del accidente, y quizá antes de su depresión, había emprendido la composición de una nueva novela. Ésta trataba de una mujer desconocida de la que alguien se enamoraba. Escribió algunas frases (quizá un párrafo), pero el trabajo quedó interrumpido con los acontecimientos posteriores. Al llegar a casa tras ser dada de alta, la reanudó. ¿De qué forma? ¿Dónde estaba la novela de Natalia? «La escribiré yo», pensé.

Cuando abordó de nuevo su novela tras el accidente, Natalia empezó a comprender que escribir no era una labor vana y vacía, sino un poder de transformación, de metamorfosis. A través de la escritura, Natalia podía hablar de sí misma con la voz de otros. Poco a poco, su obra fue convirtiéndose en una autobiografía, pero redactada desde fuera. Lo que había empezado siendo una aventura, una intriga ficticia, se transformaba, con el paso de los capítulos, en un recorrido por sus recuerdos lejanos y próximos. Pero ella no quería ser la conductora. Ponte tú, Juan, al volante de mi autobiografía, pediría Natalia, y llévame al pasado: quiero comprender la razón de mi soledad, de mi tristeza, de mis deseos de morir... Supe enseguida que la mujer desconocida de su novela, a quien tanto buscaba el protagonista, era la propia autora. Y supe que los personajes eran títeres de los seres de su recuerdo, muñecos vudú en los que Natalia podía hundir afiladas agujas.

«La escritura como forma de encontrarnos con nosotros mismos.» La idea no era original, pero me gustaba. «Porque *lo único real de un texto es el autor*, ¿no es así, señor Neirs?»

Examiné, entonces, las dos últimas «Personas», las que el azar había decretado que permanecieran en pie hasta el final.

9. Juan Cabo: ficticio.
14. Natalia Guerrero: real.

Bueno, allí estaba. ¿Hacía falta añadir algo más? «Vamos, sólo cuesta un pequeño esfuerzo», pensé. En fin de cuentas, cualquier escritor estaría dispuesto, llegado el caso, a darlo todo por su personaje: la vida, la cordura, hasta la existencia. Pero mis manos temblaban. No podía continuar. «Es una decisión demasiado grave –pensé–. Hace falta valor, porque yo también importo.» Pasaban de las 4 de la madrugada, de modo que decidí descansar un poco.

Sin embargo, en la cama, mi insomnio comenzó a dar vueltas. Había estallado una tormenta y el estampido de los truenos me impedía incluso cerrar los ojos. Sentía calor, sudaba. Deslicé una mano por mi barba y pensé: «Ah, todavía la tengo». Pero no pude encontrar un motivo lógico para este pensamiento. ¿Acaso existía la probabilidad de que *no tuviera barba*? Me palpé la sien izquierda, que me dolía: era casi una brecha en la sien. Recordé el golpe de Grisardo.

Incapaz de seguir soportando la soledad de mi cerebro, me levanté, fui al despacho y revisé las estanterías en busca de un libro que me distrajera. Rechacé el primero en que se posaron mis ojos: el *Orlando* de Virginia Woolf. Tampoco me gustaba *Niebla*, de Unamuno. Por fin, decidí que interviniera el azar, y saqué un libro a ciegas. Eran las *Metamorfosis* de Ovidio en la clásica versión de Ruiz de Elvira. Lo hojeé en la cama. El poema, como yo ya sabía, constaba de 15 cantos, o 15 capítulos, y en él se narraba, mediante la transformación constante de dioses y hombres, la historia del mundo. Una metáfora de la literatura, sin duda. El escritor se transforma en hombres y mujeres, en cosas, en ciudades, en animales, en tormentas, y cuenta la historia de su mundo. El escritor posee el poder de los antiguos dioses del Olimpo. Abrí el volumen por el canto decimoquinto y tropecé con los versos donde Pitágoras (Ovidio transformado en Pitágoras) lanza su célebre discurso: «Todo se transforma, nada desaparece»...

...y como la cera adopta dócilmente las nuevas marcas que se le imponen, y no permanece como antes era ni conserva las mismas formas, pero aun así sigue siendo la misma, así os enseño que el alma es siempre la misma, pero emigra a diferentes apariencias...

Retumbó un trueno: como si el cielo se aclarara la garganta preparándose para pronunciar una gran palabra. La lluvia correteaba con mil fugaces patas de insecto sobre las persianas. Pasé otra página.

Tampoco subsiste la apariencia propia de ninguna cosa, y la naturaleza, renovadora del mundo, construye unas figuras a partir de otras; y en el universo entero, creedme, nada hay que perezca, sino que todo cambia y renueva su aspecto, y se llama nacer a empezar a ser cosa distinta de lo que antes se era, y morir a dejar de ser eso mismo.

Desperté en algún lugar de la mañana, rodeado de sudor y penumbra. El libro reposaba, abierto, sobre mi pecho, como un corazón que hubiese dejado de latir. La lluvia no había cesado. Me levanté y caminé por los pasillos solitarios. La cabeza me daba vueltas. El cuerpo me dolía como si cada articulación se hubiera transformado en su propia versión metálica y provista de tornillos.

Ninfa no aparecía por ninguna parte. En su habitación no encontré ni rastro de su remota presencia. «No importa –decidí–. Probablemente ella también era modelo de escritores.»

Súbitamente, un horror inexplicable me hizo correr hacia el espejo más próximo (el cuarto de baño de la planta baja). Pero pude comprobar, con un suspiro de alivio, que allí seguían mi rostro de máscara, mis gafas, mi barba breve y complicada. «Sigo siendo Juan Cabo», pensé. ¿Y quién iba a ser, si no?

Todo cambia y renueva su aspecto.

Comprendí que me hallaba nervioso. Para tranquilizarme, regresé al despacho después de desayunar, encendí el ordenador y comencé a escribir esto: esta obra, lector, que has leído, y que he decidido titular *Dafne desvanecida*. Y conforme la escribía y transcurrían días y capítulos, me daba la impresión de que los personajes y situaciones resultaban cada vez más ficticios, como si el hecho de narrarlos los desposeyera de realidad; como si, por el mero hecho de contar las cosas que habían ocurrido, éstas pudieran no haber ocurrido nunca. Pasé varias semanas encerrado en casa, solo, trabajando en mi obra. Y hoy, 3 de junio de 1999, a la altura de estas frases, he decidido dar, por fin, el último paso.

Mi venganza está preparada: Salmerón no existe, Natalia es la autora de esta novela, y yo... Acabo de fijarme en la bolsa de hule.

Yace en el suelo de mi despacho, de color alquitrán, ondulada como un gato. Una etiqueta atada al asa dice: «Efectos personales de Natalia Guerrero hallados en el interior de su coche». La he abierto. He sacado un bolso de mujer de color negro. En su interior he encontrado un pequeño espejo, una barra de labios casi sin usar, otros útiles de maquillaje, un perfume caro en aerosol, un paquete de klínex y un monedero. En este último, dos tarjetas de crédito, 7.000 pesetas en billetes, algo de calderilla y el Documento Nacional de Identidad, a nombre de Natalia Guerrero Parra. Lo he examinado con curiosidad.

Aquí está. La foto de su rostro. Su rostro de frente.

No es bonita, claro, tal como yo había imaginado, pero tampoco me parece excesivamente fea. Es... una mujer cualquiera, de gafas y pelo castaño atado en un moño.

Con el carné de identidad en la mano, he ido al cuarto de baño y me he observado de nuevo en el espejo: mi pelo castaño claro, mis grandes ojos, mi rostro feísimo, de máscara...

De máscara.

Pensativo, dejo que mis dedos se enreden en mi barba. ¿Y si me afeitara? Lo hago: la barba se desprende por completo, de raíz, con gestos de crisálida. Un reflejo del sol en la piel del espejo enciende mi rostro. Compruebo que, afeitada, mi cara parece mucho más real: es redonda como un huevo, un poco fofa. Contemplo mis ojos grandes y asustados, pero no del todo feos; mis gafas; mi delgadez; mi color blancuzco. La herida persiste en mi sien izquierda, una cicatriz del accidente, la última que me queda. La cicatriz que me recuerda que quise matarme con el coche la noche de mi cumpleaños.

«Tanto te he buscado, Natalia –pienso–, durante todos estos días... ¿Dónde te ocultabas? Tan desconocida me parecías... ¿Quién eras?»

Ya no tengo miedo de mirarme al espejo. Me desnudo. Acaricio mi cuello, el suave inicio de mis pechos de mujer, el vientre vacío de vida, el pubis oscuro. Mi pelo se derrama sobre mis hombros. Lo reúno con la mano y lo ato en un moño.

Por primera vez estoy contenta con mi aspecto.

«Ya está. Ya te tengo –me dije–. La foto de la solapa. Por fin.»

AGRADECIMIENTOS

Se repite hasta la saciedad que una novela no es labor de uno sino de muchos. Esta obra no hubiera nacido sin el amable impulso del doctor Juan Neiva, aquí retratado (ligeramente) como Horacio Neirs, el psiquiatra que me atendió tras mi intento de suicidio del pasado abril. «Es usted escritora», me decía durante las largas sesiones de consulta en su pulcro despacho, «pues escriba: sus impresiones, sus deseos, su vida...» A mí me horrorizaba la idea. «Prefiero una novela», replicaba. Y escribí una novela (ésta) que ha terminado convirtiéndose en mis impresiones, mis deseos y mi vida. Al doctor Neiva, y también a las voces de ánimo de la editorial donde publico, muchas gracias.

La luz entra a raudales por la ventana de mi despacho. Hoy es 3 de junio de 1999. He permanecido demasiado tiempo transformada en hojas; ahora pretendo volver a la vida.

A veces, lector, he tenido la extraña sensación de que yo también he sido escrita, de que cuando

237

mires la solapa de este libro (donde anido yo misma más que en ningún otro) no verás mi rostro sino el de un autor distinto. ¿Tendría esto algo de extraño? Escribir es transformarnos continuamente, una metamorfosis incesante, el poder de los antiguos dioses del Olimpo. Sé que cuando el doctor Neiva lea mi obra reconocerá, en cada uno de mis personajes, al modelo que representa, o ha representado, en mi propia vida. «Pero ¿y Juan Cabo? ¿Quién es?», preguntará. Yo no responderé.

El sonido de un coche. Aquí llega. Es un antiguo compañero del instituto donde yo daba clases de latín y griego. Apenas nos conocemos, pero se enteró de mi accidente y ha estado llamándome por teléfono desde entonces, sinceramente interesado en mi recuperación. Hoy, por primera vez, he quedado con él. Es barbudo y usa gafas, pero no es feo ni bajito como Juan Cabo, sino alto y atractivo.

Sin embargo, yo pensaba en él cuando escribía sobre mi héroe. Soñaba que me buscaba, que quería salvarme, que me amaba...

Lo veo salir del coche y caminar hacia la puerta. Llama al timbre.

Me he enamorado de un hombre desconocido.

Y pretendo conocerlo.

N. G.
Mirasierra, Madrid, 1999

ÍNDICE